Дмитрий Липскеров

3/0212

ДМИТРИЙ ЛИПСКЕРОВ

РУССКОЕ СТАККАТО — БРИТАНСКОЙ МАТЕРИ

Роман

Москва
Астрель
АСТ

УДК 821.161.1-312.4
ББК 84(2Рос = Рус)6-44
Л61

Оформление обложки
дизайн-студии «Дикобраз»

Липскеров, Д.

Л61   Русское стаккато — британской матери : роман / Дмитрий Липскеров. — М.: Астрель: АСТ, 2010. — 317, [3] с.

ISBN 978-5-17-041212-9 (ООО «Издательство АСТ»)
ISBN 978-5-271-15661-8 (ООО «Издательство Астрель»)

Роман Д. Липскерова «Русское стаккато — британской матери» резко отличается от других его книг. Если в обстановке текстовой вседозволенности можно было написать нечто шокирующее, то Липскеров это сделал.

Ирреальность мира, в котором живут герои романа, неправдоподобна. Их раздирают страсти, стремление к плотской любви и жажда покаяния. Роман населен разноплановыми персонажами, совершающими неординарные поступки и проживающими непростую жизнь...

УДК 821.161.1-312.4
ББК 84(2Рос=Рус)6-44

Подписано в печать с готовых диапозитивов заказчика 14.09.2009.
Формат 84×108^1/$_{32}$. Бумага газетная. Печать высокая с ФПФ.
Усл. печ. л. 16,8. Тираж 3000 экз. Заказ 1932.

Общероссийский классификатор продукции ОК-005-93, том 2; 953000 — книги, брошюры
Санитарно-эпидемиологическое заключение № 77.99.60.953.Д.009937.09.08 от 15.09.2008

ISBN 978-985-16-7677-0 (ООО «Харвест»)

1.

Когда он понял, что в мерное течение молитвы стали вмешиваться *посторонния мыслетворения* с ошметками мирского, когда по утрам, днями, даже по ночам, произнося «Господи, иже еси на небеси...», в сие простое пропускал материальное, и так день за днем происходило всю холодную зиму, отец Филагрий наконец уразумел, что Господь отказал ему в простоте общения. Это открытие ударило ему в самую душу, под корешки. Монах оплакал сие по-дождливому, утер угреватый от постоянного ненастья нос, набрался наглой смелости и попросил у Всевышнего любви...

— Дай, Боже, любви мне! — попросил. — Любви!..

Его постриг отец Михаил, настоятель Коловецкого монастыря, вновь назначенный взамен иеромонаха Иеремии.

Сорокалетний мужичина с лукавыми глазами и шевелюрой а-ля чернобурка, что в миру называется благородной платиновой сединой, отрезал смоляную прядь.

— Даст Бог, хорошим монахом случишься! — понадеялся отец Михаил. — Быть тебе отныне, от осени, Филагрием!

«А не мелирует ли волосья начальник»? — подумал тогда новый монах о настоятеле, но мысль сия была тотчас отогнана как вопиюще крамольная. Он поднялся с колен, облобызал руку преподобному, ткнулся оному в плечо и со всей братией отправился в трапезную, где под слушанье «Жития Святых» пожрал миску вареных рожков с запахом жареного лука и запил блюдо чаем из ладожской воды... На пострижение ничего особенного не стряпали...

В третью свою ночь в монашеском чине он слегка грустил, чуть жалел себя и мерз отчаянно, так как келья была не топлена по причине занятого на процедуры времени.

«Был я Николаем Писаревым, — думал тогда, засыпая, постриженный, — а сейчас Филагрий». Филаг-ри-ем... Огромная луна, зависшая над озером, покрывала тонкое одеяло холодным светом, проливаясь в малюсенькую форточку, куда взамен утекало дыхание вновь испеченного монаха.

Горячая слеза помочила наволочку и заодно перо петуха Мокия, подохшего от склевывания хозяйственного мыла по недосмотру отца Гедеона, ответственного за разведение живности на подворье. Но о том пере Николай Писарев не ведал и слезы не чувствовал...

А ощущал в душе что-то странное... И не благостно было в ней вовсе, совсем наоборот, сомнения какие-то туманные сжимали сердце, крутило нутро, будто при морской качке, и казалось, что утеряно нечто безвозвратно.

Расшифровать маету монах не был одарен, а от того еще одна слеза закатилась в уголок плотно сжатых губ. Николай помыкался немного и в двенадцатом часу заснул. Спал тяжело и поверхностно. О сновидениях в ту ночь никому не рассказывал, но помнил истошный петушиный крик и птичий язычок, вибрирующий в клюве жалом. Это последнее видение разбудило его утром...

Филагрий был взрослым мужиком, к тридцати, с редковатой бородой и отсидевшим в колонии строгого режима девять лет.

По этой причине прошлый настоятель не стриг его, сообщая при братии козлиным голосом, что ни в коем случае не верит в раскаяние разбойника.

— Каешься? — вопрошал на исповеди.

— Каюсь, — отвечал послушник искренне.

— Врешь!

И не читал разрешительной молитвы.

Когда же, случалось, луч настоятельского фонарика выхватывал после Всенощной физиономию послушника Писарева на монастырской дорожке, иеромонах Иеремия в ужасе крестился, ломая о двадцатисантиметровый крест холеные ногти. Николай же покорно улыбался и кланялся во мраке в пояс.

Надо заметить, что в братии судимых было немало, также имелись и бывшие наркоманы, скрутившие замки не одной питерской аптеки, а потому неверие отца Иеремии в раскаяние послушника Николая мало кого волновало. Общались с ним как с равным. Вино, когда было, наливали не скупясь и втайне ждали всем обществом, когда настоятель Иеремия покинет обитель.

Отец Василий, храмовый истопник, частенько слышал сквозь дымовой проход, как Иеремия ведет толковище со спонсорами, прилетающими на остров вертолетом и желающими внести лепту в восстановление святых мест.

— Мы вам, о-отец Иеремия-а, — с гордостью оповещал глава делегации, — мы вам вытелили твенадцать тысяч тол-ларов...

— Спаси Господь вас, — почти пел от счастья иеромонах, и небольшие глаза его увлажнялись обильно и масленно, как будто из лампады пролили на них. — Есть еще русские люди с любвеобильной душой, готовые пожертвовать на благо Господнего храма!

Обычно делегации состояли целиком из финнов, а потому приезжих всегда немножко обескураживало «про русских людей», но это не оговаривали, просто добавляли:

— Вам, отец Иермия-а, следует написать письмо-о в фонт, и мы в нетелю перешлем на счет потворья толлары.

Лицо настоятеля от таких слов становилось недобрым, меняло румянец на бледность, словно молоко скисало, а елей застывал в глазах солидолом.

— Шесть тысяч возьму, не надо двенадцати, — шептал, будто терял силы, Иеремия. — Но только наличными...

Далее он велико грустно ведал чухонцам о чудовищной бюрократии как в миру, так и в православной церкви. Сетовал на то, что пока деньги со счета удастся взять, да еще налоги с них уплатить, то вся братия в полном составе вымрет от голода и холода и финнам некуда приезжать станет. А летом так на острове Коловце хорошо! И рыбалка отменная, и пляжи песчаные...

— А не получится купить новый генератор, — добавлял настоятель. — А без генератора не будет в гостиничке света, а потому туристов пускать не станем!..

И возносил взгляд к прокопченному потолку, давая возможность спонсорам получше рассмотреть огромный крест, почти четырехкилограммовый, лежащий на солидном животе гирей. Вот, мол, как Господу служу!.. Тяжестями себя мучаю...

Финны дня два мялись, думая, как проделать испрашиваемое в правовой стране, как в Чухне обналичиться, но потом вариант находился, и Иеремия почасту под свечечку пересчитывал американские купюры, хранящиеся в огромном чугунном сейфе с распятием на двери...

И дверь под полцентнера приходится открывать... «Может быть, вериги надеть пудовые?» — задумывался настоятель, но сам себе отвечал словами Серафима Саровского, что вериги наши в... в этом... В чем именно, Иеремия запамятовал, но не в таскании тяжестей, в этом он был уверен...

Такие «толларовые» подношения делались не часто, но и не редко. От сего, впрочем, новый генератор так все и не приплывал на остров, гостиничка не топилась и туризм в святых местах не процветал.

Финны деньги давали, но, видя такой расклад с туризмом, отказывались передать имеющуюся у них чудотворную Коловецкую икону монастырю.

Братия жила скудно, со сведенными от голода брюхами, но терпела, пока однажды иеромонах Василий после очередной шпионской акции не сообщил избранным о новой пачке «толларов» и об идее писать митрополиту Санкт-Петербургскому и Ладожскому о воровстве сем небывалом. Сначала боялись, но потом, отважившись, как запорожские казаки, составили бумагу и через вольнонаемную хлебопеку тетю Машу отправили челобитную на Большую землю. В ней говорилось:

«Мы, нижеподписавшиеся, сообщаем Вашему Высокопреосвященству о бесчинствах, творящихся на святом острове Коловце. Иеромонах Иеремия, настоятель Коловецкого монастыря, — **вор**. Ворует все! Даже рожки мучные третьего сорта...»

Далее шли подписи... И первым стояло имя иеромонаха Василия.

Надо заметить, что иеромонах Василий считался самым дерзким из монахов и заверял братию в моменты ее слабостей душевных, что в случае чего возьмет сию идею о челобитной на себя.

— Эка гадость! — сплевывал в ожидании Владыки монах и крестился.

До монашества иеромонах Василий был батюшкой и имел под Санкт-Петербургом крохотный приход. Также у него имелась розовощекая матушка Руфь и пять дочерей.

Батюшка гонял в свободное время на «Жигулях» в Питер, то усердно отыскивая средства для восстановления иконостаса, то с идеей о воскресной школе, то просто в Эрмитаж зайти, на импрессионистов посмотреть. Гонял Василий, надо заметить, как умалишенный, но руль в руках держать был мастер, а потому ни разу за двенадцатилетнюю жизнь «Жигуленка» в аварии не попадал, даже бампера не царапал.

За лихачество его почти ежедневно останавливали сотрудники ГАИ, но, разглядев бородатого человека в рясе, непременно отпускали, почему-то при этом краснея.

Но и на старуху, как говорится...

Как-то раз его притормозил на Литейном широкомордый старшина в огромных крагах и радостно улыбнулся.

— Нарушаем! — констатировал милиционер с удовольствием. — Девяносто семь километров едем, а здесь какой знак? — И не дожидаясь ответа: — А здесь знак — пятьдесят!..

Василий терпеливо молчал, ожидая, что старшина наконец рассмотрит рясу и отпустит его с Богом.

Но не тут-то было. Мент был ушлый и хорошо знал, что у попов деньги водятся.

— На сорок семь километров превышение! Это же ого-го-го! — И осклабился: — Штраф будем платить! В сберкассе! А сейчас там обед! Закрыта сберкасса!.. До четырех... А сейчас пятнадцать ноль две!..

— Мил человек, — попросил Василий. — Отпусти ты меня! — И вылез из автомобиля, расправляя бороду и крест поглаживая.

— Никак не могу, — игнорировал крест постовой.

— Так нет денег у меня, — объяснял Василий.

— Так нарушать не надо!

Батюшка полез в карман брюк, задрав при этом подрясник, выудил помятый паспорт, нервно полистал его и протянул книжицу к самому мясистому носу старшины, из которого, будто из репейника, торчали жесткие волоски.

— На, смотри!

— Чего тут? — скосил глаза старшина.

— А то, — повышал голос Василий. — А то! Пятеро детей у меня, а ты поборами занимаешься!

— Я закон оберегаю, — зло проговорил мент, не обратив внимания и на детей. — Я не себе! — вдруг разозлился окончательно. — А ну, давай права, буду автомобиль отлучать на штрафную стоянку!

Он отвернулся, а Василий полез за деньгами, договариваться **так**.

Уже нащупал сторублевку, как неожиданно для самого себя сказал:

— Вот потихоньку доберусь до храма и отпою тебя!..

— Чего? — не понял старшина.

— Вечером и отпою, царствие тебе небесное, — и протянул купюру: — На-ка сторублевочку...

11

Гаишник вдруг сделался маленьким от услышанного ужаса, как-то скукожился осенним листом и заговорил фальцетом:

— Ощущаю неправоту свою... надо по-человечьи к ближнему своему... пятерых детей трудно... спрячьте ваши деньги...

Мент открыл Василию дверцу «Жигуля», затем снял краги, зачерпнул из одной горсть купюр и протянул водителю.

— Вот, на свечечки...

Когда батюшка Василий вернулся домой, то оказалось, что на подношение можно было поставить триста тридцать пять больших свечей, а уж маленьких и не сосчитать...

Об этой истории, говорят, даже патриарх прознал, смеялся до слез, да, видимо, за анекдот посчитал.

В общем, жил Василий и по-крупному не тужил.

Но как-то проезжал по периферии столичный дьякон. Немолодой, да озорной, с такими же розовыми щеками, как и у матушки. Пожил в приходе с недельку, попитался, да и увез жену Василия вместе с дочерьми в Москву. Был скандал!.. Василий писал начальству о таком небывалом, случившимся с ним, но, видимо, у дьякона был блат в высших сферах. Руфь добилась церковного развода, вышла замуж за дьяка, и, венчанные, они приняли негласную аскезу на веки вечные. По всей вероятности, матушке не нравился интим вовсе, да и рожать не хотелось более, а дьякон, как отец пятерых несовершеннолетних детей, вскоре получил жирнющий приход в ближайшем Подмосковье. К тому же он являлся двоюродным дядей патриаршего секретаря.

После такого разорения семейного и удара душевного батюшка Василий отказался от прихода и вскоре прибыл на остров Коловец, где через три года послушаний был пострижен в монахи...

Владыка прилетел на остров только через три месяца, когда все уже и ждать перестали. Огромный белый вертолет с крестом на выпученном брюхе опустился на взлетную площадку, и из отворенной двери явился сам митрополит. Сначала, конечно, архимандрит и секретарь, а потом уж сам Владыка. Но на первых даже не очень и глядели.

Звонарь в порыве экстаза чуть не оборвал с колоколов языки. Звон стоял такой, что, казалось, налим в Ладоге поглушится и всплывет пузом.

Владыку, конечно, встречали всем маленьким островным миром. И вольнонаемные все, и братия, спешащая к трапу, дабы получить благословение, и даже рыбаки-браконьеры, с ног до головы в засохшей рыбьей чешуе, явились с дальней косы.

Хлебопека тетя Маша подталкивала своего слабоумного сына Вадика к Владыке, а убогий держался за руль велосипеда и кричал митрополиту:

— В Выборг поеду! За красной водой!

Он сошел к людям — высокий и костлявый, но благородный и благообразный. Не скупясь, протягивал руку с дивным перстнем на тонком сухом пальце.

Целовали жадно, лишь отец Иеремия, словно занедуживший внезапно, еле добрался до длани смиренного и сначала лбом, а уж потом губами ткнулся в черный камень перстня. Он очень хотел иметь такой же, но не перстень, а вертолет.

Всем сообществом чинно прошли к храму, где Владыка самолично служил и даже исповедал сына хлебопеки тети Маши.

На исповеди Вадик вновь поведал, что собирается поехать в Выборг.

— Зачем тебе туда? — подозрительно спросил Владыка. — Чай, здесь плохо живется?

Вадик не знал, что такое «плохо живется», а потому прошептал:

— За красной водой поеду...

Митрополит прочитал над убогим молитву, раздумывая про себя, что такое красная вода. Про ртуть красную слыхал, а вот про воду...

Сдавленно рыдала от счастья у храмовых дверей тетя Маша.

— Владыченька, — шептала. — Влады-ченька!..

Сейчас она особенно источала хлебный дух, так как к приезду начальства разрешили испечь белой булки вдоволь, переведя на нее весь яичный запас отца Гедеона.

Отец Гедеон единственный, кто не присутствовал на службе, и по наиважнейшей причине: присматривал за свиньями, коровой по имени Михал Сергеич и курами, которые обеспечили сегодня пекарню яйцами. А может быть, это и не *кур* заслуга, а петуха Мокия Второго, старого, как Вселенная, но топтуна редкого. И мыло хозяйственное жрет кусками — хоть бы хны!..

Присутствовал на службе и Николай Писарев. Его в подписанты не брали, поскольку не в постриге, да и вообще не информировали, по какой такой надобности на Коловец прибыло начальство. Послушник со счастливым простодушием молился и в конце службы целовался с братией троекратно. Он вовсе не чувствовал напряжения монахов, был смиренен и счастлив лицезреть Владыку.

Далее последовала трапеза, в которой принимала участие браконьерская рыба, выступая как в супе и во втором блюде, так и костями в густой бороде приезжего.

14

— Вкусна рыбка! — нахваливал митрополит, а отец Иеремия сидел гордый и красный от счастья.

По случаю праздника имелся и десерт — творог со сметаной.

— От Михал Сергеича, — прокомментировал Владыке настоятель.

— От какого Михал Сергеича? — вздрогнул бородой митрополит. Мелкие рыбные косточки посыпались вместе с булочной крошкой на пол.

— От нашей коровы. Ее зовут так — Михал Сергеич. У нее пятна на лбу, как... Хи-хи!

— Она же женского роду! — поморщился Владыка... Бывшего президента он уважал.

— Отец Гедеон! — позвал настоятель, учуявший недовольство. — Корову нареките женским именем! — И подложил митрополиту сметанки.

«А он дурак», — подумал Владыка, облизывая ложечку.

То же самое подумал об Иеремии и отец Гедеон, подписант письма. Корова не монах, чтобы ей другое имя выдавать.

— Сметанка тридцатипроцентная! — ластился настоятель.

У митрополита был очень высокий холестерин, и от слова «тридцатипроцентная» аппетит пропал. Потом пили чай, и ему напиток показался вонючим. Может, они воду прямо из Ладоги берут?

Обед закончился, и Владыку повели отдохнуть в настоятельские покои. Кстати было улечься на свежую постель и слушать завывание печки.

Отдыхая, митрополит вдруг вспомнил, как мальчишкой забрался на сосну и весь перемазался в ее смоле. Одежда так и не отстиралась... А еще он смолу жевал... Зубы вязли в ней, с трудом разжимались и были белыми, сахарными. А сейчас зубы не те, сейчас фарфоровые, подаренные американским Владыкой, когда с визитом были. Тоже белые, как сахар... Чего про смолу вспомнилось?.. Может, потому что на острове столько сосен?.. А может быть, по матери заскучалось, по ее рукам, красным, без конца стирающим и таким мягким, как тесто. Или смолы захотелось пожевать?

Смиренный не заметил, как задремал, а проснулся от сочного храпа архимандрита, почивающего за стеной. Зевнул, пошамкав губами, глубоко вдохнул, наслаждаясь запахом умирающей печки: вероятно, с шишечками... Бурлит смола на шишечках в печке, как янтарь цветом... Вспомнилось, как был простым монахом... Еще раз зевнул и подумал, что как ни неохота, но дело надо делать. Не ночевать же на острове! И бухнул локтем в стену, прерывая архимандритский храп.

— Не сплю я, — донеслось.

— Зайди! — окликнул Владыка.

Явился, как полковник в возрасте к генералу. Бойко, но с неловкостью в теле. Тряхнул под рясой грудями.

— Вот что, отец Варахасий, — не вставая с постели, размышлял вслух митрополит. — Мы каждого поодиночке вызывать станем! — И вдогон: — Скажи секретарю, чтобы начал вызывать с иеромонаха Василия!..

Пока звали монаха, Владыка зажег свечи и помолился немного, чтобы Господь позволил ему гневу не поддаваться.

Господь позволил, но человек не справился.

Иеромонах Василий вошел в настоятельские покои без страха, перекрестился, хотел было на колени да перстень целовать, но был остановлен властной рукой. Рука была белой в свечном свете и, взмет-

16

нувшись, казалась то ли птичьим крылом, то ли заснеженной веткой.

Наткнулся на жест, словно в поддых ударили.

— Ты что же это, сын бесовский! — сощурил глаза Владыка и подался всем телом вперед, словно к броску готовился. — Ты что же это?! Коммунист?!! — прокричал.

— Я...

— Помолчи лучше, — выскользнул из-за спины монаха отец Варахасий и шепнул в ухо, чуть было языком не лизнул: — Помолчи...

— Пусть говорит!!! — возопил митрополит. — Пусть отвечает! В партии был?!!

Василия шарахнуло.

— Да я в шестом поколении поповский сын!

— Так какого рожна ты письма партийные подписываешь?!

— Никаких партийных писем я не подписывал! — удивился Василий.

— Лучше сознайся, — шипел змеей архимандрит.

— Раздену! — пригрозил Владыка. — Раздену и...

Но тут вдруг гнев его куда-то исчез в мгновение одно, то ли дымком шишечным потянуло, то ли Господь помог, но митрополиту вдруг сделалось преспокойно, и он продолжил уже не так громко, чуть-чуть громыхая в груди, для солидности и важности, самую малость.

— Что же ты, отец на отца, бумагу состряпал?

— Так воровство, — развел руками Василий.

Он вдруг вспомнил жену Руфь и дочерей своих, на миг блеснул глазами из-за слезы, но, взяв себя в руки, обсох разом и подтвердил:

— Всюду воровство! Воруют!

— А доказательства? — попросил Владыка и зевнул без стеснения, показав американский сахар.

— Так вон они! — кивнул Василий на чугун.

— Где? — воззрился в угол митрополит.

— Где? — вторил отец Варахасий.

— Так в сейфе же!

— Я думал, печка это, — удивился Владыка, скакнул к сейфу, потрогал крест на двери, затем дверцу потщился открыть.

— А ключ?

— Ключ где? — рявкнул архимандрит и ткнул иеромонаха Василия большим пальцем в бок так, что тот чуть было не задохнулся.

Отпою, мелькнуло у Василия, вслух же он открыл, что ключ у настоятеля, а в сейфе деньги — доллары, пожертвованные финским обществом «Дружба с Коловцом».

— У них же марки? — удивился митрополит и распорядился звать настоятеля.

Иеремия явился в свои покои гостем, как будто первый раз в них оказался — все хлопал глазами непонятливо, делая вид, что не разумеет, о каком ключе речь идет.

— Да от сейфа, родимый, — терял терпение Владыка. — От сейфа.

Ключик вскоре нашелся, висел на шее под исподним.

— И зачем ты, родимый, распятие такое тяжелое носишь?

— Чтобы жизнь тяжелее стала... — грустно ответствовал настоятель. — Вериги, вот, думаю...

— Вериги... — попробовал на губах слово митрополит. — А ключ-то неподъемный!.. Шея у тебя, наверное, бычьей силы? — позавидовал. — Вериги — дело хорошее!..

Сам отпер дверь сейфа и открыл тяжелый чугун. Архимандрит наползал сзади, освещая нутро монастырского схорона.

Нашли полбутылки «Hennessy XO» в самом большом отделении, две какие-то бумаги-справки и четыре банковских упаковки внизу. Пустых. Более в сейфе ничего не содержалось. Паук еще только. Кого он там ловил в свои сети?..

Отец Иеремия продолжал делать вид, что не понимает происходящего, лишь крестился часто и тяжело вздыхал.

— Хороший коньяк, — оценил Владыка.

— Для непредвиденных обстоятельств содержу, — представил Иеремия. — Когда надо рыбки попросить у браконьеров... Для братии...

— Водки чураются, — решил митрополит. — Всяка тля теперь коньяки пьет!

Владыка знал о любви архимандрита к коньяку, а потому сказал, обращаясь к иеромонаху Василию, что, разумеется, не обо всех здесь находящихся речь идет.

— Головная боль когда, — продолжил настоятель.

— Ну-ка, рюмочку дай! — попросил Владыка и, налив до половины, выпил как лекарство от головной боли.

В душе помягчало, а из ноздрей коньячный дух вышел. По-старчески прочистил горло, вытащил из футляра крокодиловой кожи очки и водрузил их на нос.

— В самом деле! — прикрикнул. — У тебя что, солярки нет для генератора?

— Немного имеется, — ответил Иеремия. — Но самую малость лишь, для НЗ, если что случится...

— Запускай генератор! — распорядился митрополит, ни черта не разбирая даже в очках, что в бумажках написано. — Я завтра военных попрошу, они тебе с десяток бочек топлива подкинут!

— Вот спасибо, — почему-то невесело поблагодарил настоятель, достал мобильный телефон и вдруг как заорет в «Сименс»: — Ты что же меня перед Владыкой позоришь!.. Включай генератор! Глаза начальства портит, а ты соляру жалеешь!

«А деньги-то где? — с ужасом думал иеромонах Василий. — Ведь были же доллары! Идиотом выгляжу! Письмо выдумал, сотоварищей подвел... Всех отпою...»

Пока заводили генератор, и архимандрит выпил рюмочку. Полногрудый, он почему-то невесело подумал о том, что через три недели Великий пост начинается, и выпил рюмочку еще.

Тут и лампочка задрожала, сначала неясным светом, потом разгораясь все более, вспыхнула двумястами свечей, так что у всех присутствующих фиолетовые круги в глазах поплыли.

— Однако вечер совсем, — заметил Владыка в окошко выползающую со стороны Питера луну. — Торопиться надо, ночью не много налетаешь!.. Бьются все напропалую!

Взял бумажку и прочитал вслух:

— Дана Смирнову Валентину и подтверждает, что у вышеназванного венерических заболеваний не имеется! — Снял очки и поглядел вокруг. — Во как! Не имеется...

Взял вторую бумагу и уже про себя узнал, что гражданин Смирнов внес пай за кондоминиум на Васильевском острове в размере ста двадцати тысяч долларов.

Митрополит был очень умным человеком, связал справку о пае с банковскими упаковками и решил сделать вид, что ничего не разумеет в этих бумажках. Отложил, как не значащие много. Сорок лет во власти — он понимал, какой скандал может выйти, а поскольку в Православной и так, как в улье, все жужжало и гудело, счел полезным не афишировать в его епархии выплывшее воровство.

— Какой-то Смирнов, — развел руками Владыка. — Валентин... Вольнонаемный, что ли?

— Из бывших, — подтвердил Иеремия, покраснев так густо, что, казалось, кетчуп носом пойдет. — Уволен уже...

Митрополит знал, что Смирнов Валентин — мирское имя настоятеля, и как ни хотелось ему расправиться немедля с тем, у кого не обнаружено венерических заболеваний, разгуляться нервам не дал, лишь кивнул седой головой.

«Что же теперь будет?» — нервничал иеромонах Василий, глядя, как Владыка сворачивает бумажки и кладет их в карман.

Архимандрит выпил третью и накрепко закрутил бутылку пробкой. Почувствовал, что скоро в дорогу, оправил бороду и зло поглядел на Василия,

И тут монах упал на колени, перекрестился и замогильным голосом попросил, чтобы во всем винили его, что именно в его дурной башке созрел сей план, что готов нести любое наказание!

— Только не раздевайте! — взмолился он. — Не раздевайте! Могу только в послушании жить! Не раздевайте-е!

Митрополит был суров, хоть и молчал — монаха с колен не поднимал, прощался с настоятелем.

— Принял ты нас, отец, хорошо...

Троекратно облобызались. Владыка щеки подставлял, а Иеремия, собрав губы гузкой, страсть выказывал.

— Накормил, напоил! Так держать!.. Сметанка у тебя отменная, — добавил, пока архимандрит Варахасий в свою очередь лобызался с хозяином. — Теперь проводи до вертолета!

21

На выходе из настоятельских покоев скосил глаза на иеромонаха Василия.

— Ты чего коленями клопов давишь! Вставай, со мною полетишь! — И Иеремии: — Документы вслед пришлете!

Уже взобравшись по лесенке к кабине вертолета, митрополит вновь спустился на землю и накрепко обнял одной рукой шею настоятеля, словно прощался с родным, а другой, с перстнем на пальце, скрытно от всех потащил настоятеля за четырехкилограммовый крест к земле, так что у того затрещало в шее, а в ухо смиренный словно металла влил:

— Сам уходи! Иначе вытравлю, как таракана поганого!.. Ишь, вериги!..

Улетали под храмовый звон. Звонарь старался истово, как и в утро. Иеремия плакал, стоя на бетоне, махая по очереди руками вослед белой птице с крестом на брюхе. Плакал и Василий, забившийся в самый угол кабины вертолета. Иеремия лил слезы от счастья, от того, что пронесло от разоблачения ужасного и он вскоре поселится с Еленой Ивановной в кондоминиуме. А иеромонах Василий слезы проливал от горя, от страшащей неизвестности, ожидающей его в будущем времени.

— У тебя, что ли, дьяк жену увел? — вдруг услышал сквозь грохот лопастей Василий и, подняв мокрые глаза на Владыку, подсевшего к монаху запросто, кивнул.

— Ну ничего, — приобнял монаха митрополит. — Господь милостив, образуется все...

Сквозь иллюминаторы лился лунный свет, и было почти светло. Смиренный семидесятипятилетний старик спал... Он не слышал, как бесчисленное число раз кричал в ночное небо слабоумный Вадик:

— В Выборг поеду! — Уносил ветер слова к луне. — В Выборг! За красной водой!..

Первое, что стал делать Николай Писарев в своей жизни хорошо, — играть на аккордеоне...

Поддавший на Девятое мая дед Кольки стащил с антресолей инструмент и в компании сотоварищей-десантников проиграл одним пальцем мелодию «Варшавянка». Ему поаплодировали, запили успех водочкой и забыли про музыку.

Дед уложил аккордеон в спальне, сел к боевым товарищам за стол и вспомнил, как сей инструмент ему достался.

С этими же мужиками двадцать пять лет назад он вошел в Берлин. Немец в агонии почти в полном составе сдавался, кто-то подрапал в домашние тылы, а дед с разведротой прочесывал микрорайон возле Берлинского исторического музея. Показалось, что в одном из домов фрицы засели, ну и шандарахнули по окнам из всех стволов. И гранатку даже кинули.

Потом дед пополз поглядеть на результаты боевых действий и обнаружил в доме лишь единственного немца. Тот лежал на полу, опрокинувшись на спину. На груди его возлежал дивный аккордеон с перламутровыми клавишами, а из дырки во лбу фонтанчиком била кровь, напитывая мехи инструмента, как вода в песок уходила.

Немец был немолодым, годящимся тогда деду в отцы. Лежал в шерстяных носках с вышитыми на резинках оленями, и, если бы не фонтанчик крови, можно было подумать, что он выбрал такой хитрый способ игры на аккордеоне — лежа на полу.

Дед никогда не брал трофеев, а тут ему так понравилась игрушка, так приманили всякие медальки и гербы во фронте, что он был вынужден потревожить мертвого, стаскивая с тяжелых рук музыку...

Потом, в расположении части, на аккордеоне попробовал сыграть гармошечник Зажин, но, подержав трофей с минуту, поставил диагноз — трофей порченный. Мол, столько крови в нем пересохло, что лишь красивая оболочка осталась. А самое главное — механические внутренности погибли безвозвратно...

Дед хотел было сжечь инструмент в костре, но что-то удержало его от сего поступка, да так и дотаскался он со своим единственным трофеем до конца войны. С аккордеоном и домой вернулся.

Бабка, сначала счастливая, что супруг остался живым и невредимым, впоследствии раздражалась, что он, непутевый, притащил за тридевять земель тяжесть такую бесполезную. Тем более внутри этой глупости хранилась кровь убитого дедом немца. Бабка же была мнительна и верила в потустороннее.

— Выбрось ты его! — доставала. — Уж лучше бы вазу какую привез, как Борька Семенов, богемскую...

Но дед почему-то и дома не хотел расставаться с бессмысленной вещью, отмахивался от бабки и хранил трофей под кроватью. Единственное, о чем жалел, так это о том, что не пошарил тогда у немца в доме, футляра для инструмента не взял. Лежал бы аккордеон в футляре...

А потом дед решил инструмент восстановить.

Разобрал его на тысяча двести тридцать деталей и каждой, по очередности снятия, присвоил порядковый номер.

Части аккордеона лежали по всему дому, доводя бабку до бешенства, а один раз, увидев окровавленные меха, она закричала истошно и пригрозила деду, что сожжет эту дрянь без следа.

— Сожжешь — прибью! — предупредил дед.

Мужик вообще-то он был смирный, и такое предупреждение произвело на бабку сильное впечатление. Более она об инструменте не заговаривала, а лишь искоса наблюдала, как дед приносил в дом специальную литературу, штудировал ее, какие-то схемы и чертежи изучал, лобзиком пользовался и вонючие химикаты в ванной разводил. Поместил в них меха и стал ждать, когда кровь отойдет. Но то ли химикаты были не те, то ли немец оказался таким въедливым, все было тщетно — кровь не растворялась...

А потом он сушил меха в специальной печи, у товарища Семина на лекарственном предприятии.

Полгода ушло на сборку аккордеона, а когда он закончил под Пасху работу и руки в холодной воде остудил, то так и не смог отважиться опробовать инструмент в действии... Примерял ремни, а до клавиш лишь дотрагивался нежно... Назавтра приобрел на барахолке матерчатый чехол и засунул вещь под кровать.

Лишь к зиме, когда получили две комнаты в коммуналке, под водочку на новоселье, да с сотоварищами по войне, он вдруг отважился. То ли в подпитии был изрядном, то ли еще что, но вдруг нырнул под кровать и явился оттуда с аккордеоном.

С отчаянием выдохнул и с силой растянул меха...

Аккордеон завыл многозвучно, да так отвратительно, что за стеной зашлись лаем собаки, а сотоварищи слегка протрезвели. А дед все раздвигал меха и сдвигал. Казалось, что он тронулся умом и наслаждается сей чудовищной какофонией.

Дед прекратил играть так же неожиданно, как и начал.

— Починил, — удовлетворенно сказал и выпил полстакана.

Несколько дней после новоселья немыслимыми аккордами дед доводил весь дом, пока жильцы не вызвали милицию, а та, в свою очередь, пригрозила бывшему десантнику психушкой.

Дед в больницу не желал, а потому запер аккордеон на антресолях.

На предложения бабки сдать ненужное в комиссионку смотрел зверем...

Колька Писарев, восьми лет от роду, взял оставленный дедом в спальне аккордеон, с трудом водрузил машину себе на грудь, выпрямился и так отчаянно вонзил в клавиши пальцы правой руки, что, казалось, трофейный перламутр не выдержит и проломится. Но не тут-то было. Вместо того чтобы затрещать или хотя бы завыть истошно, инструмент вдруг издал стройный звук, в котором содержалось и благородство, и некая надрывная нота.

Колька закатил в поднебесье глаза, сделал короткий вздох, словно изготовился к прыжку, да как разогнался детскими пальчиками по клавиатуре, да такие созвучия стал трофей выдавать, что празднующим День Победы ветеранам на миг показалось, что это вдруг включилось радио.

Но музыка, которую играл Колька, была столь полифоничной, такие свежие басы аккомпанемента выдавала правая рука, что уже через мгновение мужики во главе с дедом находились в спальне и ошалело глядели на плюгавого пацана Кольку, которого даже за аккордеоном не было видно, но который укротил немецкий трофей и играл на нем сейчас так же виртуозно, как мог бы гармошечник Зажин.

А Колька продолжал музыку делать, как будто за ним и не наблюдал никто. Глаза его по-прежнему искали что-то на потолке, а пальцы жили отдельной от головы жизнью.

Никто не видел скорченную на лице деда гримасу, лишь бабка лицезрела ее, да так испугалась, словно предчувствовала смертоубийство.

Через минуту пальцы Кольки дали тремоло, слабые бицепсы растянули меха до предела, посыпался на пол темный порошок, затем последовал апофеоз звука, и музыка, истончившись в последней ноте, закончилась.

Мужики захлопали истово, совсем не так, когда дед «Варшавянку» пальцем набрякивал, а по-настоящему, будто на концерте знаменитости побывали. Затем, увидев выползающего из-под аккордеона Кольку, мокрого от пота, словно его из ведра обдали, бросились к пацану и на руки его вознесли. Подкидывать принялись с криками «ура!».

А ноги Кольки Писарева, после того как на пол его поставили, вдруг подломились, мальчишка потерял сознание и упал как подкошенный.

Когда его подняли, то все тело музыканта оказалось в крови, и бабка так истошно завопила, что с крыш соседних домов сотни голубей посыпали к земле! Она бросилась к внуку, стала вертеть его, бессознанного, туда-сюда, искать руками, где рана на теле разверзлась, столь много крови выпустившая...

— Немца это кровь, — сказал дед тихо. — Хорошие химикаты были!.. — И, послюнявив палец, нагнулся к полу, собрал указательным несколько крошек, которые тотчас растворились в слюне, превращаясь в красное.

Бабка охнула от такого дедова сообщения, сама собралась терять сознание, но тут Колька стал приходить в себя, и его, потрясывающегося всем телом, потащили в ванну отмывать.

Мужики, очнувшиеся от изумления, приняли по сто пятьдесят и начали бабку поздравлять с таким чудо-внуком, который уже в восемь лет потенциально может обеспечить семейству кусок хлеба на край.

Бабка натужно улыбалась, отвечала «спасибо», а сама про себя с ужасом размышляла о потустороннем и о фрицевской крови. Чувствовала двадцать пять лет назад, что дело добром не кончится... Ох, чуяла!..

Как пришел в пальцы Кольки гений, никто не знал. Врачи говорили — феномен, а музыканты — вундеркинд. Приглашали Кольку жить в интернате и музыке по-настоящему учиться. Но бабке не нравилось немецкое слово, она решила, что если добрые силы дали внуку талант, то они и расцветят его безо всякой учебы. Если же зло такой выход нашло, то... Далее бабка боялась думать, а дед с обнаружением в Кольке гения стал молчаливым, устроился работать на лекарственную фабрику к товарищу Семину и на внука внимания не обращал вовсе.

Колька выступал по различным Домам пионеров, заводским клубам и на свадьбах, вызывая у соседей зависть, так как в восемь лет зарабатывал больше, чем какой-нибудь министр.

Бабка на нежданные доходы купила в ГУМе деду новый костюм и перевесила на него ордена и медали, чтобы на следующий День Победы муж смотрелся минимум как директор лекарственной фабрики, а не рядовой электрик.

А накануне Девятого мая, как раз шестого числа, дед вдруг исчез. Также пропал трофейный аккордеон и новый, тяжелый от наград, костюм.

Оказывается, целый год дед через ветеранское общество договаривался о поездке в ФРГ, мол, по боевым местам полный кавалер орденов Славы едет, отдал за билеты все семейные деньги и покинул Родину, не поставив в известность ни родственников, ни товарищей своих.

Ехал поездом четверо суток, через несколько границ перебирался, пока наконец не прибыл в Западный Берлин, где на перроне его встретил пожилой переводчик Ганс, как утверждали в ветеранском обществе, убежденный социалист.

Пять дней искали по жаре тот дом... Похоже было, что еще немного, и Ганса хватит сердечный приступ. Дед же держался стоически, таская на плече тяжелый аккордеон. Пару раз сунулись не туда, а потом, вечером, уже собираясь возвращаться в гостиницу, дед вдруг узнал дом доподлинно.

Входил в него дед, надев на плечи аккордеон.

Их встретила удивленная семья пожилых людей.

— Вы давно здесь живете? — перевел вопрос деда Ганс и получил ответ, что это — фамильное гнездо рода фон Зоненштралей, чьими прямыми потомками являются хозяева дома...

Дед видел, какими глазами смотрит на аккордеон немец, и окончательно уверился, что явился точно по адресу.

Их пустили внутрь, предложили сесть и выпить кофе. Хозяин дома продолжал пожирать глазами инструмент с перламутровыми клавишами, а дед сидел, поглаживая грубой рукой гербы и наклейки на фасаде аккордеона.

Ганс выпил кофе и отдышался. Пауза растянулась до странности, пока не задала вопрос немка:

— Пообедаете?

— Время ужинать, — уточнил дед.

Ганс перевел как «спасибо, нет»...

— Что привело вас сюда? — наконец решил выразить интерес хозяин дома.

— Был я здесь в сорок пятом, — начал дед и удостоился кивка. — Я был русский солдат... — продолжил.

— Я-я, — подбодрил немец.

Дед глубоко вздохнул, так что брякнули медали.

— Возможно, в этом доме я убил человека...

Немец слушал переводчика и в этом месте перестал даже моргать.

— Война, понимаете ли... Может быть, я вашего отца застрелил?

На этом месте хозяин дома поднялся из кресла и вышел из гостиной.

— Он сейчас вернется, — пообещала хозяйка, но прошло минут десять, прежде чем немец появился вновь.

На нем была надета форма капитана пехотных войск времен Второй мировой войны, а на шее поблескивал рыцарский крест... Он вновь сел в кресло и отпил из чашки остывшего кофе.

— Вероятно, это был мой отец, — подтвердил хозяин дома через социалиста Ганса.

«Что же это он, — подумал дед, глядя на великолепно подогнанную на немце форму. — Вот штука, даже не потолстел за двадцать пять лет?» — и нажал на клавишу.

Аккордеон коротко пискнул, и все, находящиеся в комнате, вздрогнули.

— Вероятно, этот музыкальный инструмент принадлежал вашему отцу?

А про себя: «Я в свою гимнастерку только с мылом».

Теперь из гостиной вышла жена, но она тотчас вернулась с небольшой фотографией, на которой был запечатлен пожилой мужчина с аккордеоновна руках, которого застрелил дед в сорок пятом. Мужчина снялся в компании бравого лейтенанта, отдаленно напоминающего хозяина дома.

— Значит, — утвердительно покачал головой дед, — вещь ваша, фамильная...

— Я-я! — подтвердил с волнением немец.

— И чехол, стало быть, от аккордеона сохранился?..

Женщина улыбнулась и вновь вышла. Сейчас ее не было дольше, чем в первый раз, наверное в чулан отлучалась, вернулась же с отличным, черного цвета, футляром.

Дед обрадовался, поднялся навстречу хозяйке, снял с плеча инструмент и поставил его возле ног, принял футляр, отметив, что он сохранился без единой царапины, щелкнул затворами и раскрыл. Вздохнув по-особому грустно, уложил в черное нутро аккордеон, почти нежно закрыл футляр, поднял его правой рукой и, буркнув «ауфидерзейн», вышел из немецкого дома прочь. Он не обращал внимания на истошные крики, летевшие вслед, а шел под горку быстро, насколько был способен.

— Штой! — кричал вдогонку Ганс. — Оштановись!

Но дед лишь ниже опустил голову и пошел еще быстрее. Почти побежал.

«Как же он в форму свою влез через двадцать шесть лет?» — думал бывший русский солдат.

Завыли полицейские сирены, вторя им, заголосила вся округа...

Его окружили и арестовали. Затем привезли в участок.

Что-то спрашивали, но дед вопросов не понимал, а социалист Ганс исчез бесследно со всеми его туристическими документами, лишь декларация в кармане скомканная валялась.

— Я — русский солдат-победитель! — наладился повторять задержанный. — Я — победитель!.. Солдат... Русский...

Здесь же в участке находилась и немецкая семья. Особенно живо с полицейскими общалась женщина, показывая то на футляр с аккордеоном, стоящий возле деда, то на фотографию. Мужчина же смотрел на русского с легким ужасом.

Вещь у деда забрали, на что он пригрозил еще раз взять Берлин. Тогда вызвали представителя из советского консульства, который приехал быстро, выслушал ветерана и заявил полицейскому полковнику, что у гражданина СССР были выкрадены документы, а также билет на поезд и деньги в размере семидесяти марок.

Полицейский полковник все исправно записал в протокол и поинтересовался, зачем русский старик украл аккордеон.

— Не крал я его! — отвечал дед уверенно. — С собою привез! Трофейный!..

— Как докажем? — почувствовал неловкость ситуации консул. — Вот ведь фото...

— А черт его знает! — пожал плечами дед. — Мой аккордеон, и все!.. Я — победитель! Солдат...

Но тут он что-то неожиданно вспомнил, зашарил по карманам и вытащил смятый листок.

— Декларация! — воскликнул. — В ней трофей помещен! Записан в декларации инструмент!

Отдали таможенную декларацию полицейскому капитану, тот в свою очередь переводчику из своих, который и подтвердил правдивость слов советского ветерана.

— Он убил моего отца! — заявил немец в форме

капитана пехоты, и в глазах его стояли крупные слезы.

— Когда? — насторожился полковник.

— В сорок пятом.

Полицейский облегченно выдохнул.

Дело было выиграно.

— Поздравляю, — пожал ветерану руку советский консул, когда они выбрались из темного участка на улицу. — Поздравляю. — И, сев в посольскую машину, отбыл в неизвестном направлении.

— А как же деньги?! Документы?! — Но посольский автомобиль свернул за угол, и дед остался один.

Он не преминул поглядеть вослед немецкой чете фон Зоненштралей, как бредут обескураженные старики рука об руку по улице. Почему-то, провожая глазами немецкую семью, радости дед не ощущал.

Он доплелся до гостиницы и узнал от портье, говорящего на ломаном русском, что его, советского гражданина, сегодня выписали из отеля. А сделала это принимающая сторона!

— Ах, Ганс, — дал вслух оценку дед. — Сволочь немецкая! Швайн!

Дед забрал из багажной комнаты фанерный чемоданчик с чистой рубашкой и сменой нижнего белья, вышел из отеля и побрел прямо, пока не придумал, куда сворачивать. Во время ходьбы ему пришлось осознать, что оказался он в безвыходной ситуации. Без денег и документов во вражеском городе...

Первую ночь спал в сквере, на дубовой лавке, подложив под голову футляр с аккордеоном. Долго не мог заснуть, так как мешали забыться соловьи, устроившие наглый ночной концерт. Размышлял о том, что соловей не только «славный русский птах», но также и немецкий.

К утру страшно захотелось облегчить желудок, что дед и сделал, утеревшись кленовым листом. Умыл физиономию в крошечном фонтанчике, из него же и попил. Сразу есть захотел... Вспомнил, что в какой-то газете читал, что очень вкусны жареные соловьи! Тогда был возмущен, словно призывали певца Козловского сожрать, а сейчас, когда певуны обнаружились и в неметчине, он так себе и представлял крошечные птичьи тушки, нанизанные на шампуры, пожаренные до хрустящей корочки и капающие жиром.

Но в парке соловьев не жарили, а желудок тем временем все сильнее сводило от голода.

Дед поднял аккордеон, чемоданчик взял в руку и поплелся опять прямо. Те, кто смотрел на него со стороны, видели старого, почти немощного человека, бредущего неизвестно куда. При этом идущий смотрелся чрезвычайно странно — одетый в нелепый черный костюм, в котором и в гроб стыдно. При каждом шаге старика, в такт, вся грудь бряцала медалями и орденами.

«Француз, что ли? — думали некоторые прохожие. — Клошар!»

А дед все шел и шел, пока не очутился на какой-то площади. Огляделся и увидел молодого парня-волосатика, стоящего ноги вместе и раскачивающегося в такт мелодии, издаваемой скрипкой, на которой он играл.

Перед ним на булыжниках лежал раскрытый футляр, в который проходящие люди бросали мелкие деньги.

«Мелкие-то они мелкие, — приметил дед. — Но сколько же их бросают! Двое из трех проходящих обязательно медяк кинут!»

Уже через несколько минут дед сидел на чемодане, разложив перед собою открытый футляр, и наигрывал на аккордеоне одним пальцем извечную «Варшавянку». Чем я хуже Кольки, думал...

Конечно, он привлек внимание больше, чем какой-то волосатый скрипач. Через некоторое время вокруг собралась толпа зевак и туристов, и все дружно подхлопывали простенькой мелодии.

Но что самое прискорбное, ни один из зрителей так и не бросил монетки единой.

— Бесплатно я, что ли, вам здесь! — бурчал дед. — Ишь, как в цирке!..

Все улыбались.

— Русиш? — поинтересовался какой-то паренек, подойдя к деду вплотную, усевшись на корточки.

— Я-я, — понял вопрос дед.

Паренек безапелляционно потрогал «Красную Звезду» и предложил:

— Фюр марк!

Айн, цвай, драй, фир, фюр... — выплыл из памяти деда немецкий счет, и, поняв, что ему предлагают пять марок за орден, старик припомнил, что получил его при взятии немецкого «языка», при котором был ранен из ракетницы в живот, а потом ему селезенку удалили!.. Не немцу, а деду.

— Сука! — ругнулся дед и отбросил руку паренька от груди.

— Зибн, — не отставал молодой немчик, дергая теперь за орден Ленина.

— Это за Ленина зибн?! — вскричал дед, хотел было оплеуху отвесить пареньку, но сил на это не оказалось. — Ленин-то из золота... Зибн...

— Цвай! — предложил дед, выискав на груди бабкину медаль за доблестный труд. — Две! — И показал два пальца с длинными нечистыми ногтями.

— О'кей, — согласился немчик, и дед слабеющими руками отстегнул женину награду.

А уже через несколько минут — о майн гот! — дед наслаждался шаурмой, купленной в палатке у какого-то парня, похожего на азербайджанца. По небритым щекам тек куриный жир, и старик был счастлив.

Чувствуя, как наполняется желудок, он благодарил про себя бабку, что она ему свою единственную награду на грудь повесила. Хранила таким способом благоверная всю свою трудовую доблесть, аккумулированную в единственную медальку.

«Дома другую медаль достану», — был уверен дед, облизывая пальцы и благодаря азербайджанца по-русски.

— Бакинец? — поинтересовался.

— А вы откуда знать? — выпучил глаза хозяин палатки.

— Бывал я в столице-то вашей! Носатиков-то повидал!

Но тут бакинец стал на ломаном русском предостерегать деда, что здесь, на площади, очень опасно, что полицейские попрошаек отлавливают и на мыло сдают.

— А я не попрошайка, я — музыкант, — удивился дед. — Воды дай!

— Айн марк, — назвал цену азербайджанец.

— Чего жлобишься?

— Айн марк.

Бакинец был невозмутим и в ответ на призывы к нему, как к соотечественнику, как к земляку, в конце концов, смотрел деланно в сторону и сдувал уголком губ навязчивую муху, усевшуюся на тоненький ус.

Далее дед продал знак парашютиста за стакан кока-колы, но купил его не у азербайджанца, а у немца, торгующего сардельками.

Показал бакинцу фигу и высказал предположение, что бывший соотечественник — дерьмо, то-то к нему мухи липнут...

Напившись, дед вновь уселся на свое место и пропиликал на аккордеоне до самой темноты. Ночевал он в том же парке, а утром соорудил из подтяжек рогатку, из которой часа два тщетно пытался подстрелить немецкого соловья...

А потом он опять и опять сидел на площади. Уже даже не играл, все равно не платили, а продавал потихоньку свои награды. День за днем. Начал с медалей, а потом черед и до орденов дошел.

У азербайджанца не питался принципиально, все тратил у немца на сардельки и пиво.

— Азерботик, как торговля? — глумился.

Бакинец нервно дергал усом и, между прочим, замечал, что у него хоть дом и семья имеются. А дед подохнет на этой же площади и превратится в кусок дешевого мыла, который азербайджанец пошлет на свою горную Родину — баранов мыть!..

Деду было неприятно думать о мыле, но через неделю от внушительного иконостаса на груди остались всего три ордена Славы. А Славу русского солдата дед продать не мог!

Уже три дня его желудок был пуст, он сидел, привалившись спиной к теплой стене, и дремал. Сквозь сон услышал шарканье чьих-то ног, но тяжелых век не открыл. Индифферентен ко всему был дед.

Что-то положили в футляр. Он скорее это почувствовал, нежели услышал. Приоткрыл глаза и рассмотрел... Он увидел... Что он увидел?.. В футляре билась, словно рыбешка о стенки ведра, банкнота. Ее гоняло, кружило ветром. А на бумажке виднелись два нуля и цифра перед ними — 5.

Кто же такой щедрый? Кто пожертвовал по-королевски?

Дед широко раскрыл глаза и задрал голову.

Он увидел пожилого немца, у которого убил в сорок пятом отца и у которого украл для аккордеона футляр.

Дед кивнул на аккордеон и на купюру. Немец отрицательно помотал головой.

Старик потрогал ордена и вопросительно посмотрел.

— Найн, — отказался сын врага.

— Тогда за что? — спросил дед.

Немец развел руками и пошел себе прочь, а в душе деда вдруг такое сделалось, что казалось, она, душа, сейчас в мгновение сорвется с корней и шлепнется о стену, разлетаясь в клочья.

Старик вскочил на слабые ноги, торопливо засунул аккордеон в футляр и затрусил за немцем, оставив фанерный чемоданчик на разграбление. Взметнулась в небо денежная купюра и, ввинчиваясь в теплый воздух, исчезла в другом измерении.

А дед все бежал за немцем и бежал. Он увидел, как тот сел в автомобиль и, поцеловав в щеку жену, сидящую рядом, нажал на газ...

Ускорившись, дед споткнулся и упал, расквасив о тротуар нос.

Ему помогли встать, и он, совсем старый, всем улыбался, сплевывая кровавую слюну.

Мол, вот как с нами, стариками, бывает, молчаливо оправдывался.

Он шел долго, и губы его шептали: «Прости, прости, прости...»

У кого он просил прощения, кого молила его душа о милости, дед понимал смутно, просто шел, а вместо крови на асфальт падали стариковские слезы.

Возле исторического музея дед свернул и побрел в горку.

Постучался в дверь, скорее поскребся...

Ему открыла она, жена его. Оглядев деда, понюхав его нечистоту, она обернулась и позвала:

— Альфред!

А дед тем временем бухнулся на колени, ткнулся лбом об пол и трижды проговорил «прости».

Она слегка отпрянула и все оглядывалась на лестницу, ожидая появления мужа.

Немец появился, посмотрел на такую непривычную картину сверху, затем быстро спустился и заговорил что-то по-немецки.

А дед вдруг обхватил его ноги, опять заплакал и затараторил, икая:

— Не хотел я!.. Прости, друг!.. Прости!

Немец крутил коленями, стараясь освободиться, но русский старик держался крепко и продолжал говорить неизвестные слова:

— ...у него носки с олешками были... Вязаные... Такие мне мать когда-то... Прости...

Наконец хозяину квартиры удалось вырваться из дедовых объятий, он сделал шаг назад и обратил за помощью взгляд к жене. Женщина пожала плечами, а тем временем дед вытащил из-за себя футляр с аккордеоном и слегка подтолкнул его к ногам немецкой семьи.

— Ваш это, фамильный... Батьки вашего!

Немец был совсем в расстроенных чувствах и по старости сам чуть было не прослезился.

— Берите инструментик! — умолял дед. — У меня внук, Колька, все на нем может сыграть!

Женщина наклонилась, взяла деда за локти и потащила вверх, помогая старику подняться.

А он ей руки стал целовать, приговаривая: «Фрау добрая, фрау все понимает!»

39

А немец хоть и держал глаза на мокром месте, вместе с тем и горд был. Это он придумал подать старику пятьсот марок, за все смертные грехи, им совершенные. Таким образом он ожидал психологического перевертыша, который сейчас и наблюдал.

Пробил человечье в русском старике.

Немец заговорил что-то непонятное для деда, наверное успокаивал; тому уже жена помогла перебраться на мягкий диван, и совершенно обессиленный старик просто сидел, что-то бубня под нос, и хозяина не слушал вовсе.

А потом он попил горячего и сладкого какао, и вот из-за этого какао понял, что совсем старый стал. Лишь глубоким старикам дают горячее какао, думал он. В домах для престарелых...

Он поднялся с дивана, еще раз сказал по-русски «простите», а по-немецки «ауфидерзейн», и, покачиваясь, вышел на улицу.

— На Родину! — сказал.

На прощание он лишь коротко взглянул на футляр с аккордеоном и медленно пошел под горку.

Неожиданно в доме немцев опять раздались крики, дед оглянулся и увидел фрау, которая, стоя на крыльце, держала раскрытый футляр, откуда вываливались: запасный комплект дедовского нижнего белья, испорченные подтяжки и два кирпича белого цвета.

— Не я это! — зашептал дед, стараясь идти быстрее. — Видит Бог, не я!

Он шел, вжав плечи в шею, поглаживая рукой ордена Славы.

«Ах, — догадался дед. — Азербайджанец это все подстроил! Украл носатый аккордеон!»

Плакать сил не было.

Он шел вдоль Берлинской стены и думал, что теперь на инструменте играть будут азербайджанские дети. Или на части аккордеон разберут, в носы перламутр вставят... Ах, как нехорошо с немцем получилось!.. А Кольке теперь музицировать не на чем станет! Ничего, в рабочие пойдет, когда вырастет!..

Дошел до КПП и вдруг, глядя на колючую проволоку, слушая лай овчарок, понял, что до Родины всего тридцать шагов.

Там же ГДР, обрадовался, глядя на ту сторону. Союзники наши, Варшавские! Они-то в беде не оставят!

И вдруг дед, сам от себя не ожидая, прихрамывая, побежал через пограничную полосу.

— Хальт! — закричали ему вслед.

А он, словно спортсмен на последней своей дистанции, не ногами бежал, а душой, словно по воздуху летел или в воздух взмывал...

Теперь и с другой стороны, родной, кричали такое же «хальт», и овчарки срывались с поводков...

— Это я! — кричал навстречу. — Свой я!..

А потом его грудь прошила короткая автоматная очередь. Состояла она из трех выстрелов, и каждая из выпущенных пуль попала в свой орден Славы — прожгла аккуратную дыру.

«Свои стреляют! — было последней мыслью старика. — Солдата убили...»

Он подпрыгнул вверх и, уже умерев, падал на землю кучей костей и плоти, посреди которой, трепыхаясь, умирало сердце солдата.

Через месяц власти ГДР разобрались в ситуации, составили психиатрический отчет и отослали деда вместе с бумажкой в цинковом гробу на Родину.

Его похоронили на загородном кладбище под деревней Дедово. Бабка не плакала, стояла над могилой маленькая и серенькая. А пожилые десантники водку пили...

Таким образом Колька Писарев одновременно лишился и деда, и аккордеона.

А потом пацану придавило дверью в лифте палец, так что пришлось ампутировать фалангу.

Нет аккордеона, нет пальца, нет и музыканта... И деда нет...

————

2.

Роджер Костаки затормозил возле «Барбикан Центр», привязал цепью заднее колесо мотороллера к железной трубе, снял с багажника кожаный саквояж, чихнул от неожиданного луча солнца и вошел внутрь.

Времени до начала концерта еще было предостаточно, и Роджер спустился на нижний уровень Центра, где располагались кафе быстрого питания.

Он выбрал молодой картофель со сметанно-чесночной подливкой, попросил положить в тарелку небольшой кусочек сальмона, выцедил из кофейной машины двойной эспрессо, расплатился и вышел с подносом на летнюю террасу.

Поел он без особого аппетита, так как голову его занимали важные мысли.

Еще позавчера он купил в букинистическом магазине книгу, о которой мечтал несколько лет и которую даже не раскрыл по причине абсолютной занятости.

Бесконечное количество репетиций не позволяло ему как следует пообщаться с фолиантом, хотя, конечно, были ночи, но он вчера книгу не трогал, так как считал полным неуважением открыть ее коротко...

Роджер глотал кусочки сальмона и думал о Мише, который «в принципе» мог освободить его от части репетиций, так как прекрасно знал «класс» мистера Костаки. Тем более что частенько репетировались места, где и вовсе треугольник не задействован.

Роджер не любил людей такого типа, как Миша. Он и великий виолончелист, он и дирижер Лондонского симфонического, владеет землей и недвижимостью на многие миллионы! Слишком многолик и многоталантлив этот русский старик, мягкий на публике и предельно жесткий в коллективе.

Есть в многоликости что-то опасное!

Роджер чувствовал, что и Миша относится к нему тоже, мягко говоря, недружелюбно, никогда не подает мистеру Костаки руки для пожатия, просто кивает ему при встрече.

Ударник Бен высказывал Роджеру свое мнение на сей счет, мол, что это вовсе не из-за нелюбви Миша не ручкается с Костаки.

— Просто у тебя руки, парень, влажные, — резал правду-матку. — Знаешь, как это неприятно, когда за мокрую руку хватаешься! Приходится потом идти и мыть свою руку!..

— Ты моешь после меня руки? — ошеломленно интересовался Роджер.

— Я — нет, — честно отвечал ударник. — Я не брезгливый! Но я считаю, что мистер Миша имеет полное право не подавать тебе руки. Это то же самое, что за мокрую рыбу хвататься... У тебя — дистония, и я бы посоветовал тебе сходить к доктору...

У Роджера ладони были влажными с самого раннего детства, и врачи не находили в его организме никаких отклонений, объясняя, что такова его личностная особенность.

По молодости Роджер комплексовал, носил с собой гигиенические салфетки, но было чрезвычайно глупо перед очередным рукопожатием протирать ладони от пота, и от салфеток пришлось отказаться. Он просто незаметно вытирал руку о брюки, а поскольку они были единственными, то вскоре штанины стали лосниться и превратились в почти зеркальную поверхность, в которой, казалось, можно было увидеть отражение.

Конечно, такая картина девушкам не нравилась, но со временем и Роджер перестал обращать внимание на противоположный пол, считая женщин вместилищем всех мыслимых и немыслимых пороков. Впрочем, он не принадлежал и к сексуальным меньшинствам, просто был асексуален, заторможен в проявлении либидо, которое выходило лишь обильными прыщами на лице и шее, также проявлялось в излишнем весе и еще некоторых особенных вещах...

Роджер слушал ударника, но был уверен, что дирижер Миша не подает ему руки не только из-за потливых ладоней, что существует какая-то другая причина или причины, по которым виолончелист манкирует общением с членом своего коллектива.

За время своего дирижерства в Лондонском симфоническом ни на одной репетиции Миша не сделал Роджеру ни единого замечания, не отпустил, что еще более удивляло, даже мелкой похвалы.

Сначала это явление беспокоило мистера Костаки, но потом он, выдающийся мастер игры на треугольнике, отнес все вышеперечисленное к неприятию таланта талантом. Таланты, как разнополярные магниты, отталкивают друг друга, но также и необходимы для союза в сложных приборах. Вот так и Роджер был необходим Мише, а какое замечание можно сделать выдающемуся мастеру?!

Мистер Костаки доел сальмон, подобрал сметанно-чесночный соус хлебом и запил ужин большим эспрессо.

Сегодня должны были играть Прокофьева, «Ромео и Джульетту». При этом какой-то малоизвестный литовский балет обещался стать иллюстрацией музыки.

Роджер посмотрел на часы. До начала оставалось девяносто минут, и он просто сидел на веранде, наслаждаясь прохладным ветерком с кондитерским запахом. Костаки слегка фантазировал, как вернется после концерта домой, запрется в своем флигеле, раскроет книгу и предастся чтению на всю ночь. Благо в ближайшие три дня ни концертов, ни репетиций не предвидится и можно нарушать режим сколь угодно.

Мистер Костаки был сыт, и настроение у него было хорошим. Он вертел головой, рассматривая будущих зрителей, разгадывая в них иностранцев и местных.

Глядя на переполненное кафе, Роджер подмечал, что люди, посещающие классические концерты, до этого всегда плотно набивают желудки. Вероятно, это связано с желанием добиться благостного состояния между дремотой и бодрствованием, при котором не нужно нервно напрягаться. Тогда музыка сама заползает в уши и переваривается вместе с пищей, без особой при этом затраты мозгов.

А у некоторых во время концерта животы пучит. Ухо Роджера частенько подмечало сей факт. Тогда он незаметно отыскивал глазами виновника желудочных звуков и в тихих местах наблюдал, как тот мучается своим вмешательством в музыкальную ткань желудочной фальшью.

Музыканты же, наоборот, играют почти голодные, дабы мозговое восприятие было более тонким, а уж после концерта и они едят много и вкусно...

Миша любит поесть, при этом много разговаривает, и частички пищи летят в разные стороны. Он часто отрыгивает воздух, пряча губы за нежную кисть руки.

Роджер утер салфеткой со лба пот и посмотрел на левую ладонь. Она была почти так же влажна, как и лоб. Крошечные капельки поблескивали в папиллярных линиях. Почти механически мистер Костаки отер руку о брюки.

Поначалу все свои претензии по поводу потливости и прыщавости Роджер выражал матери. Больше ему обвинять было некого, так как отец — мистер Костаки, грек по национальности — лишь участвовал в зачатии Роджера и рождения сына не застал. Будучи моряком греческого флота, он после полового контакта незамедлительно отбыл на родину.

— Прощай, моя голубка! — крикнул мистер Костаки матери, когда отдали швартовы. — Твой голубь улетает навсегда!

Надо отметить, что в старшем мистере Костаки, в его внутренностях, содержалось неплохое чувство юмора и некая доля романтизма.

Мать Роджера Лизбет уже не надеялась потерять девственность естественным путем, когда появился на горизонте этот рыжий грек.

Он подсел к ней в баре и выпалил в белое мягкое ухо:

— Люблю дурнушек!

Лизбет вяло подняла на моряка глаза и, даже не улыбнувшись, опустила их к своему бокалу с пивом.

А грек продолжал шептать ей в мозг, что дурнушки — самые прекрасные женщины на свете!..

— Вы не замечали, что красивых девиц вокруг куда больше, нежели дурнушек! А все почему? Потому что красота вещь сама по себе не функциональная. Красота почти всегда холодна и применения не имеет. Пожалуй, кроме прикладного... Все красавицы похожи друг на друга, тогда как некрасота всегда особенна, ни с чем не сравнима и таит в себе столько внутренних сокровищ!..

Лизбет еще раз посмотрела на рыжего грека, отметив его малый рост, голубые глаза, в которых столько было всего намешано.

— Я — дурнушка? — спросила Лизбет.

— Безусловно, — честно ответил моряк.

— Вы думаете, что во мне сокрыто много сокровищ?

— Я никогда не ошибался!

Грек положил свою сухую ладонь на полную белую руку Лизбет, вплотную приблизил свои губы к уху англичанки и лизнул ее мочку.

— Оставьте, — отстранилась Лизбет.

— Время жизни скоротечно! — предупредил моряк-философ. — Все ваши нереализованные желания могут погаснуть в вашей душе, так и не реализовавшись! Вы находитесь на самом пике своего душевного раскрытия, сами того не понимая. Вы чувствуете свой живот, свою грудь, как не чувствует ни одна красавица, чьими прелестями пользуются слишком часто. Вы же, ваше тело и душа, предназначены для штучных вулканических извержений...

— Вы хотите меня? — прямо спросила Лизбет.

— Очень, — прямо ответил грек.

— Но учтите, — предупредила девушка, — я — девственница и никакими там фокусами не владею!

— Любовь — не фокус! — слегка обиженно произнес моряк. Возбуждение охватило его до кривых ног, но, будучи опытным ловеласом, грек его не выказывал.

— Уверены?

— Да.

— Поедемте ко мне, — предложила Лизбет. — Я живу в центре!

«Как бы не увлечься и не опоздать на корабль», — забеспокоился моряк.

— Не волнуйтесь, — словно прочитала мысли грека Лизбет. — Ваш корабль стоит на седьмом причале?

— Да, — подтвердил рыжий.

— Причал принадлежит мне, и доки на нем тоже. Я знаю, что вы должны уходить на рассвете, но наши докеры не успеют разгрузить корабль.

Лизбет подняла полную белую руку и помахала ей, призывая такси.

В автомобиле мистер Костаки попытался приласкать внутреннюю часть бедра англичанки, но попытка сия была мягко пресечена.

— Имейте терпение, — опять же с вялостью в голосе произнесла женщина, и рыжий грек на секунду усомнился в правильности своего выбора.

На миг ему показалось, что придется лечь на ледяную глыбу. Но он в мгновение взял себя в руки, уверенный, что его умения растопят любой айсберг. Ляжет спать на айсберг, а проснется на раскаленном пляже.

— Вы красавец? — спросила тихим грудным голосом Лизбет.

— Что? — не понял грек.

— Я — дурнушка, а вы полагаете себя красавцем?

— Что вы! — захихикал мистер Костаки. — Я все про себя знаю. У меня кривые ноги и маленький рост!

— Значит, — сделала вывод Лизбет, — совокупляться будут два физически пренеприятных субъекта. Представляете эту картину со стороны?

Рыжего грека было трудно сбить с толку, хотя эта полная англичанка с недожаренным блином вместо лица чуточку его пугала. Но чем больше страхов, по опыту знал кривоногий, тем более наслаждений предвидится. Вслух же он выразил, что красота бывает внутренняя, а также некоторые части человеческого тела красивы своим предназначением.

— О-о! — покачал головой мистер Костаки, когда автомобиль остановился у подъезда дома Лизбет.

То ли от вида роскошного дома он сказал это «о-о», то ли от уверенности, что англичанку ожидает нечто, о чем она и мечтать всю жизнь не смела.

— Это ваш дом? — шепотом поинтересовался мистер Костаки.

— Можете говорить в голос, — разрешила Лизбет, включив в хрустальной люстре свет. — Я живу одна.

— А ваши родители? — без интереса осведомился грек, обрадованный такому свободному и прекрасному миру. — Сестрички, братишки?

— Они утонули вместе с «Титаником», — буднично сообщила Лизбет и принялась стаскивать тесную кофточку.

Кривые ноги грека на мгновение выпрямились, а потом голубые глаза ослепила белизна большого женского тела.

Лизбет сама подошла к нему и обняла крепко, так, как и мечтала долгие годы, — за талию, пропустив руки в штаны к щуплым цыплячьим ягодицам. Она ощутила прикоснувшуюся твердость где-то в области коленей, нервически вздохнула и застонала.

Греку словно мозги отшибло. Он было попытался взять предмет страсти на руки, но вес был практически неподъемен, а оттого ему удалось поднять только левую ногу Лизбет.

Она опять застонала, подломила правую ногу сама, и они упали на пушистый ковер.

Грек освобождал ее от одежд торопливо, так что иногда трещали швы. Было в нем столько нетерпения, будто это не мужчина был вовсе, а неопытный юноша.

Треснули чулки, содранные с пояса варварски. Лизбет на мгновение открыла глаза и увидела человечка из порнографических комиксов, которые иногда просматривала.

На картинках частенько изображались лысоватые мужички с кривыми ногами, между которыми было устроено такое!.. От «такого» Лизбет зажмурила глаза, отвела обнаженную ногу в сторону и закричала так, как будто ее четвертовали. В этом крике было столько животной сладости, столь могуч был зов, сдерживаемый с четырнадцати лет восторг, что громыхнули разбуженные небеса, полыхнуло по округе молнией и разразилась гроза, не виданная даже в самых туманных областях Британских островов.

Как же не ошибся голубоглазый грек! Он сравнивал себя с источником энергии, а ее белое тело с огромным прожектором, который вспыхнул, зная, что суждено ему гореть один раз, а потому пылал не положенными ему пятьюстами свечами, а всей сотней тысяч грозил взорваться.

— А-а-а! — уносился во Вселенную могучий крик.

— А-а-а! — куда слабее вторил грек.

Она была и волчицей, на которой скакал фантастический всадник, и медведицей, ласкающей своего детеныша, была истовой матерью, желающей возвратить свое дитя обратно во чрево, и покорной рабыней, исполняющей любую прихоть хозяина...

Невероятное соитие двух несовершенств продолжалось восемь часов и показалось столь коротким, что, когда Лизбет прошептала греку о том, что скоро уходит его корабль, кривоногий обольститель, **артист наук любовных,** чуть было не заплакал, как ребенок, у которого отобрали миску с клубникой, когда он только распробовал первую ягоду.

— Прощай, моя голубка! — ронял в море слезы грек. — Твой голубь улетает навсегда!

Она помахала ему вслед платочком и решила назвать свою любовь мистером Костаки. Ведь голубоглазый герой комиксов так и не открыл своего имени.

Позже, когда рыжий грек рассказывал в кубрике об английской дурнушке, в коей талантов более, чем во всех записных фотомоделях, и о том, сколь она несчастна, богатая и одинокая, даже родители у нее с братьями и сестрами утонули вместе с известным «Титаником». Так она в память обо всех в такой победный салют оборотилась! Во славу погибших!..

В кубрике выразили недоумение по поводу «Титаника», который затонул лет шестьдесят назад или около того.

— Твоей дурнушке лет семьдесят, должно быть? — осклабился помощник механика, и все загоготали.

Кривоногий грек не обиделся и стал гоготать вместе со всеми, понимая, как провела его англичанка. Он решил забыть о ней навсегда, но еще долгие годы, заходя в разные порты, подсознательно выискивал свою дурнушку, похожую на английскую голубку...

А она, потерявшая невинность и приобретшая взамен человеческий плод, растущий во чреве, была спокойна и о греке не вспоминала. Он ей был не нужен. Всю страсть она израсходовала, осталась лишь любовь, которая востребовалась при рождении сына Роджера.

— Я — родильная машина! — говорила, рожая, Лизбет.

Акушерки предлагали женщине подышать кислородом, смешанным с обезболивающим газом, но она отказывалась, отталкивала руки, повторяя:

— Я — родильная машина! Я создана для того, чтобы рожать. Во мне все устроено для вынашивания и рождения детей.

Ее предупреждали, что первые роды тяжелы и продолжительны, что все же не надо мучить так свой организм и ребенка, следует согласиться на анестезию.

Лизбет была непреклонна, отговаривалась, что хочет прочувствовать эту самую важную для женщины миссию!.. Какая уж тут анестезия!

Родила она под утро, угостила дитя молозивом и уснула в родильном кресле. Акушерки, обмывая ребенка и оформляя младенцу пупок, были единодушны — такого некрасивого ребенка они еще не видели.

Врач тоже был удивлен и говорил, что у него ощущение, как будто хромосомка сначала развалилась надвое, а потом вновь соединилась, спасая младенца от болезни Дауна.

— Мальчик совершенно нормальный! — говорил персоналу доктор. — Но следы борьбы природы за его нормальность видны на лице!.. Да и мамаша не красавица вовсе, — шептал он миленькой сестре в ушко чуть позже.

— У нее нет никаких родственников!

— А деньги оплатить роды?

— Она богата. Недавно продала причал и доки... В ее жизни произошло большое несчастье, она потеряла всех близких родственников.

— Каким образом? — поинтересовался доктор, впрочем, не имея ни малейшего интереса к этому. Он очень хотел спать, особенно в одной кровати вместе с этой милой сестричкой.

— У них была чудесная яхта, сделанная, говорят, по чертежам отца. Он же и назвал ее «Титаником», вероятно думая, что двух катастроф под одним именем не случится. Человек предполагает, а Бог располагает... Яхта затонула близ Франции, возле каких-то островов.

Ладонь доктора крепко держала талию миленькой сестры.

— Что же наша героиня? — выказал врач интерес. — С няньками на берегу сидела?

— Она была на яхте, когда случилась катастрофа. Тридцать два часа двенадцатилетняя девочка продержалась на воде, пока ее не спасли. Разве вы не слышали об этой истории?

— Нет, — помотал головой доктор. В его голосе теперь присутствовал искренний интерес, и он решил еще раз проведать роженицу. Завтра...

— Даже Ее Величество приняла участие в судьбе героической девочки. Она тогда сама стала опекуншей сироты и сохранила состояние семьи до совершеннолетия опекаемой нетронутым, даже приумноженным.

— Значит, она совсем одинока? — удивился доктор. Его рука более не сжимала талии медсестры, он совсем устал, а накрапывающий за окнами дождь очень портил настроение.

Медсестра была рада, что приставания начальства прекратились, так как дома ее ждал превосходный молодой человек, собирающийся жениться на ней.

— Кстати, — заметила девушка, — она не замужем. Отец неизвестен...

— Почему кстати?

Девушка на секунду пришла в замешательство, а потом сообщила, что дежурство кончилось и она спешит домой к больной матери.

— Да-да! — развел врач руками. — Не смею задерживать...

Неизвестно почему, но он сам зашел в послеродовую палату и долго всматривался в лицо спящей мамаши.

Физиономия женщины была крайне неприятна, со склеенными волосами, обрамляющими бесформенное, белое, как тесто, лицо. Рядом в кроватке спал младенец, похожий мордочкой на гнилой грецкий орех.

Доктор стоял и смотрел.

Он не понимал, почему не может оторвать взгляда от этой новоявленной семьи.

Вероятно, думал он, мы с большим интересом идем в кунсткамеру, нежели в галерею к Рубенсу!.. Нас привлекают автокатастрофы, а не полет бабочек, мы смотрим в новостях не те сюжеты, где рассказывается о помощи немощным старикам, нас волнует кровь, кадры с убиенными молодыми людьми, которым еще бы жить и жить... Еще он подумал, что чрезмерно высокопарен и что сюжеты о немощных стариках его тоже не волнуют, нисколько.

Через час он уже спал, и снилось ему огромное дерево с грецкими орехами...

На следующий день Лизбет отправилась с новорожденным домой.

С неделю она никак не могла придумать сыну имя,

а потом увидела по телевизору бит-группу, в которой солистом был молодой симпатичный парень по имени Роджер. Он так здорово играл на гитаре и пел фальцетом...

Кормя грудью младенца, Лиз невзначай подумала, что все-таки красота куда лучше, чем некрасота, а потому нарекла мальчишку именем гитариста.

— Роджер, — произнесла она с любовью и нажала на грудь покрепче.

Дитя глотнуло. Жирная кефирная масса хлынула не в то горло, и новоявленный Роджер стал задыхаться. Скукоженное личико посинело, ручки задергались, и младенец собрался было уже перебраться на небеса, где его, невинного, ожидал Архангел Гавриил, дабы препроводить дитя в рай.

Вероятно, Лизбет была другого настроения. Не желая расставаться с предметом, на который собиралась расходовать свои огромные запасы любви, мамаша безо всякой истерики взяла задыхающееся чадо за ножки и потрясла им, словно курицей, чтобы оживить.

Скорее всего, Роджер тоже не желал пугать своей синюшностью небеса, а потому из его легких протекло на пол убийственное молоко. Младенец отрыгнул и задышал, сначала с клекотом в груди, а потом физиологически нормально.

— Роджер — безобразник! — произнесла Лизбет, когда все успокоилось и ребенок вновь ухватился жесткими деснами за материнский сосок...

Мистер Костаки решил съесть еще и десерт. Он выбрал яблочный штрудель и какао — запивать.

«Всякое правило подтверждается исключениями», — думал Костаки, глотая почти не прожеванные куски пирога. Можно и на сытый желудок поиграть. Тем более внимание публики будет сосредоточено не на оркестре, а на этих неизвестных литовцах.

«Почему нельзя просто сыграть Прокофьева, безо всякого балета», — размышлял Роджер. А все потому, что Миша пытается удивить публику изысками, тогда как, наоборот, простоту являть надо. А где простота — там гениальность, а где гениальность — там нет Миши!

Костаки понравился сделанный им вывод, и он, густо отпив из чашки какао с пенками, откинулся на спинку стула...

Не прост Миша! Не прост!..

Роджер почти с младенчества осознал, что мать его некрасива и что он сам не милое дитя с обложки журнала «Child». Собственная внешность мальчика по первым годам мало интересовала, он лишь злился, когда, играя со сверстниками, слышал такое:

— А моя мама самая красивая...

— Нет, моя! — вступал в спор какой-нибудь ребенок.

— Моя! — утверждал третий.

— Моя мама — уродина! — говорил Роджер. — Она неуклюжая и часто разбивает на кухне чашки!

Такое заявление ставило сверстников в тупик. Мальчики и девочки не знали, как относиться к этому прыщавому, со скукоженной физиономией, то ли в герои его записать за то, что он так запросто может про маму свою сказать, то ли поругать его...

Второе обычно делали взрослые — чужие мамы и бабушки.

— Как же ты можешь так говорить о своей мамочке? — строго внушали соседки Роджеру и поглядывали на Лизбет, сидевшую здесь же, рядом с песочницей.

А она, мать, переполненная любовью к своему отпрыску, отвечала в оправдание, что ее ребенок четко определяет пространство и предметы вокруг себя.

— У моего мальчика нет иллюзий, и он хорошо отличает прекрасное от ужасного. И что из того, что к этому ужасному он причислил меня — свою мать? Ведь самое главное — любовь! — произносила Лизбет с какой-то особой интонацией в голосе. — Самое главное — мой мальчик меня любит!

Здесь все: и мамки, и бабки, а также няньки — соглашались.

— Любовь — это главное!

Роджер пока не знал, что такое любовь, но ему нравилось, что мать его защищает.

«Радость от чувства защищенности можно считать любовью», — решил он...

— Да-да, — соглашались все, вспоминая сказку про чудовище и красавицу. Какая душа была у чудища лесного чудесная, а облик прекрасный ему подарила любовь!

Общество умилялось от таких рассуждений, а про себя каждый думал, что все прекрасное в сказках, а какая девушка полюбит этого некрасивого мальчишку, когда он вырастет?..

Сообщество и Лизбет жалело. И за то, что с нею приключилось в детстве, и за то, что сама королева в ней участие принимала, а теперь не принимает. А самое главное— Лизбет толстела на глазах, от этого ее мучное лицо наливалось дрожащим тестом и глаз правый уходил в сторону, как у креветки. Кого она теперь привлечет такая?..

Сама Лизбет изменений в себе не замечала, так как не собиралась более своим цветением привлекать мужскую особь. Ей не приходило в голову посетить какой-либо модный магазин и купить новую вещь. Она преспокойно обходилась найденными в гардеробе вещами покойной матери. Ей даже это нравилось — чувствовалась преемственность.

Для своего сына она перешила братов костюм. Ей очень хотелось, чтобы дух погибшего брата немножечко перешел и к Роджеру.

С этого момента у Роджера стали потеть ладони, и штаны дяди первыми заблестели зеркальной поверхностью.

— А кто был мой дядя? — интересовался мальчик, перелистывая книгу из дедовской библиотеки.

— Твой дядя, — рассказывала Лизбет, — был прекрасным юношей.

— Где он сейчас?

— На небесах, — отвечала мать.

Роджер подходил к окну и долго смотрел в серое небо, пытаясь отыскать что-то.

— А где мой дед?

— Вероятно, тоже на небесах. Хотя... — здесь Лизбет запнулась.

— Гм... Никого там не видно...

— Просто мы живем в плохом климате, — оправдалась мать.

— У меня была и тетя?

— Евгения.

— Она тоже за облаками?

— Я так надеюсь.

Роджер вновь сел в кресло и раскрыл дедовскую книгу в том месте, где помещалась иллюстрация с подписью: «Сны разума порождают чудовищ».

— А где живут чудовища?

Лизбет, видя, какую книгу листает ребенок, ответила, что чудовища живут в человеческих фантазиях. Чем богаче фантазия, тем более ее заселяют чудовища!

Пожалуй, что на сей раз мать была права, так как Роджеру нередко снились кошмары, а наяву он частенько представлял себе монстров, которых и близко не найдешь в детских книжках.

— Ты тоже чудовище? — спросил мальчик у матери.

Лизбет расхохоталась, обняла сына, не замечая, как тот скорчил недовольную физиономию.

— Я — твоя мать, — ответила.

— А разве чудовище не может быть матерью?

Роджер вырвался из объятий, при этом книжка дернулась и иллюстрация порвалась надвое.

— Ух, уродина! — сказал он. — Я знаю, чудовища живут в аду. Так говорили в церкви. Значит, ад в моем мозге.

Лизбет не очень нравилось, что сын ругается. Вместе с тем она сочла его умозаключение интересным для семилетнего мальчика.

— Ты тоже попадешь в ад! — вдруг сказал Роджер и, испугавшись, заплакал. — Я не хочу, чтобы ты жила в моем мозгу! Попроси дядю, чтобы он взял тебя к себе на небеса!

— Если дядя возьмет меня к себе, с кем останешься ты?

Мальчик, размазывая слезу по щеке, разрешил матери побыть на земле еще немного, пока он вырастет, а потом непременно к родственникам за серые облака.

Лизбет широко улыбнулась и пообещала, что именно так все и будет.

— Только не ко мне в мозги! — взмолился Роджер.

Он отправился к себе в комнату, где с помощью скотча склеил картинку, еще несколько минут изучал иллюстрацию, потом закрыл книгу, сел за письменный стол и укрыл рукой голову от воображаемых чудовищ. Он тренировался на всякий случай, если с ним произойдет так же, как в книге...

Через некоторое время Роджер поинтересовался у матери, что та понимает под словом «смерть».

Лизбет ответила просто, как, собственно, и думала:

— Мы попадем либо в рай, либо в ад, смотря по делам нашим.

— Что за дела такие?

— Плохие и хорошие, — ответила мать. — На-ка, примерь. — И протянула сыну перелицованный пиджачок.

— Опять от умершего дяди Дэвида?

Лизбет почувствовала какой-то подвох в вопросе сына, но решила не отвечать на него.

— Примерь!

Роджер оделся.

— Значит, дядя Дэвид делал хорошие дела?

— Он был очень хорошим братом!

— А ты была ему хорошей сестрой?

— Думаю, да.

— А дедушка?..

Здесь мать не ответила сразу, а уставилась куда-то внутрь себя, вспоминая.

Отец Лизбет зашел к дочери в каюту, когда якорь «Титаника» прочно лежал на дне. Что-то в его взгляде встревожило девочку но за рядом обычных вопросов, вроде: «Как дела?», «Не голодна ли?» и «Не хочется чего?» — она тревогу забыла.

Лежала в шортах на кровати. Ее немного тошнило от легкой качки, и отец, присев рядом, гладил дочь по ноге.

Ей были приятны отцовские ласки, но до того момента, пока она не почувствовала, как его пальцы забираются в шорты и трогают там, где ей самой было стыдно дотрагиваться.

Она тотчас вскочила и забилась в угол кровати.

— Ну что ты? — ласково шептал отец. — Чего ты боишься?

В его взгляде было такое темное сладострастие, что девочка, вжавшись в стенку, понимала, что его ничто сейчас не остановит и произойдет страшное.

— Нет, — шептала Лизбет. — Папочка, нет!

— Ну что ты, маленькая, — он подбирался к дочери все ближе. — Разве папа тебя обидит?

— Конечно нет!

Она еще на что-то надеялась, убаюканная словами отца, но глаза его, взгляд голодного волка, под которым трясется загнанная добыча, говорили, что сейчас случится то, о чем нередко пишут в газетах, в криминальных хрониках.

И тогда она зажмурилась и попросила Бога спасти ее.

Когда руки отца почти дотянулись до ее плеч, когда масло вожделения заволокло ему глаза до мути, яхту неожиданно качнуло, затем в борт ударило сильно, — так, что отцовские руки поймали лишь пустоту. Он потерял равновесие, свалился с кровати и, покатившись, ударился о дверной отбойник виском. Все было кончено.

Она закричала, ее услышали, но тут вторая волна, троекратно сильнее первой, сдернула яхту с якоря и швырнула в сторону скал.

Лизбет удалось удержаться. Она видела, как отцовское тело мотает по каюте, а из виска тоненько течет кровь.

От ужаса девушка подвывала и уже просила Господа, чтобы он прекратил шторм, который грозил погубить всю ее семью.

Но море рождало волны, швырявшие «Титаник» словно бумажный кораблик. Волна захлестывала за борт, скалы приближались, и казалось, что спасения нет.

— Помогите-е-е! — услышала Лизбет сквозь рев шторма голос брата.

— Дэвид!.. Дэвид! — кричала мать. — Откликнись!..

Она хотела опять закричать, но голоса не было. Лишь сипение одно вырывалось из глотки.

Ей показалось, что она слышит неподалеку голос сестры Евгении. Она попыталась было вырваться из каюты, но здесь яхта напоролась на первую из скал, и девочка, потеряв равновесие, упала. На миг, ударившись затылком, она потеряла сознание, а когда от соленой воды защипало глаза и она их нехотя открыла, то столкнулась со стеклянными зрачками отца, который лежал рядом, лицом к лицу с дочерью. В его глазах не было вожделения.

Она опять сипло закричала, вскочила на ноги и по колено в морской воде добралась до иллюминатора.

Она видела в пяти метрах острые скалы, молилась навстречу ветру, благодаря Бога за спасение, за то, что не дал отцу согрешить смертельно, и особенно что об этом не узнают ее родные. Мама бы не перенесла удара, а сестра с братом постоянно терзали бы ее расспросами.

Девочка понимала, что конец близок, она шепотом попрощалась со всеми, подтянулась на руках и выскользнула в иллюминатор.

Вода была нехолодной, и она даже немного пришла в себя. Огромная волна с белым гребнем вознесла ее над горизонтом, и она увидела, как яхта со всеми ее обитателями качнулась, словно кто-то большой и сильный толканул ее под борт, затем накренилась, еще раз черпанула воды, поменяла свой центр тяжести и, словно конь вознесся на дыбы, встала на корму, смотря в бесконечные небеса.

Грохотали о скалы волны, маленький белый «Титаник» заканчивал свое существование, забирая человеческие души и уходя под воду медленно, мучительно и гордо.

Девочка еще долго плавала в том месте, где сомкнулась водяная воронка, надеясь, что кто-то из родных спасся, как и она.

— Мама! — звала девочка. — Евгения!.. Дэвид!.. Только отца не звала.

Но море было молчаливо, темно и страшно в своем безмолвии.

Она нырнула, стараясь в лунном свете разглядеть дно... Потом она тщетно пыталась выбраться на какую-нибудь скалу, но отливная волна тащила ее с собой, расцарапывая в кровь ноги и живот.

Потом она опять и опять ныряла, не жалея легких своих, понапрасну вглядываясь в черноту.

Теряя силы, она в последний раз набрала полную грудь воздуха и скрылась под водой. Глаза ее были широко раскрыты, а ноги изо всех сил взбуривали темную водяную толщу.

И тут девочка что-то увидела. Что-то большое и светлое поднималось со дна.

Господи, молилась она, хоть бы кто-то живой!

— Ах! — вылетел изо рта воздушный пузырь. — Ах!..

Огромная медуза, степенно поднявшись со дна, облепила все ее лицо, обвила ядовитыми щупальцами шею и жалила девочку, запуская под кожу морские яды.

Она вынырнула на поверхность, вся облепленная

жирной массой. Дикая боль разъедала лицо и шею, вдобавок в легких кончился воздух. Девочка, обжигаясь, схватила огромную медузу, въевшуюся в кожу, и что было силы сдернула безмозглую тварь с лица. Тотчас откинула хищницу в сторону и глубоко вдохнула, как будто впервые, как будто рождалась из моря заново.

Непонятно, из каких сил она удерживалась на воде — и только вслушивалась напряженно в плески и шумы, так как стояла безлунная ночь, да и обожженные глаза не видели ни зги.

Днем в ее глазах проплывали радужные круги. Минута за минутой, час за часом. Девочка не чувствовала боли, также она не чувствовала и мысли. Все было вокруг просто, и все было — смерть...

А через тридцать два часа с момента крушения ее спас катер береговой охраны. Спас совершенно случайно. У одного из моряков сетки возле скал стояли на лобстеров. По семь франков за штуку отдавал.

— Вот это лобстер! — воскликнул хозяин сетей Франсуа, разглядев в воде девушку. — Ты посмотри, — окликнул он напарника. — Мертвяк! Бабский мертвяк!

Вдвоем они вытащили тело девочки на палубу и разглядывали утопленницу под светом прожектора.

— Видишь, как лицо раздуло, — указал Франсуа. — Наверняка медуза!..

— Да-да, — согласился напарник. — А как она здесь оказалась?!!

— Кто? Медуза?

На этом вопросе девочка пустила изо рта пузырь и закашлялась, показывая молодым людям, что сердце ее стучит, а легкие дышат. Она жива, а смерть осталась в море...

— О, черт! — воскликнул хозяин сеток.

Вдвоем они оттащили девочку в кабину и пытались с помощью нашатыря привести тело в чувство.

— Как она оказалась здесь? — недоумевал Франсуа, думая, что с этого дня надо искать новое место для браконьерских сеток.

— Мама, — прошептала Лизбет.

Напарник связался с берегом и сообщил начальству о находке. Начальство сперва не поверило в рассказ и ругалось по рации самыми непристойными словами.

— Опять деликатес ловите! — кричал приемник. — Я вам покажу, гурманам! Пьянь! Все — пьянь!

А потом начальство поверило, так как вспомнило о неожиданном шторме и о большом скоплении прогулочных яхт в том месте. Может быть, катастрофа?.. Может, беда вторглась в его владения?! Будет теперь заметка в газете с его фамилией! И жена отныне не станет называть его неудачником, желающим только жрать без меры и пользоваться ее телом. Ха-ха! Если бы какая-нибудь другая ответила на его заигрывания, стал бы он требовать от жены исполнения супружеского долга. Дохлая селедка! Ха-ха!.. А теперь, после заметки!.. Женщины любят героев и не обращают внимания на объемы их животов. Животы приобретают статус атрибута героев! Теперь начнется другая жизнь! Он, Бернар Клер, вставит газетную заметку в специальный непромокаемый футляр и уложит в нагрудный карман, а еще лучше — увеличит газету у фотографа и повесит в офисе на самом видном месте...

Мечты господина Клера прервал звонок уже его непосредственного начальника.

— Какого хрена! — орало в трубку начальство. — У вас что, нет радаров!

— Нету, — с достоинством, чувствуя себя знаменитым, ответствовал Бернар. — У соседей радар.

— Вы — жирный боров! — вскричал начальник. — Да знаете, кто погиб вчера в море?

— Не имею такой информации! Компетенция не моя!

— Идиот! «Титаник» затонул!

Господин Клер подумал о говорящем — «сам идиот», искренне пожалел начальство и стал говорить с ним, как разговаривают с сумасшедшим, к которому уже вызвали неотложную помощь, — ласково.

— Да-да, — грустно вздохнул в трубку Бернар. — Тысячи людей погибли! — вспоминал он мировую историю.

— Кретин! — взревел начальник. — «Титаник» — это четырехпалубная яхта, принадлежащая английскому подданному, миллионеру сэру Ипсвичу! Там была вся его семья! Какие идиоты вокруг!.. Боже мой!..

«Теперь непременно в газете окажусь, — обрадовался Бернар. — Такое крушение, такие жертвы!» И его люди девчонку вытащили! В журнале, на первой полосе! Фотография в рост! Или пусть лицо с животом!

— Мои люди тут спасли кое-кого, — как бы невзначай сообщил господин Клер. — Вероятно, с «Титаника»! Если вам, конечно, интерес есть до этого.

Начальственный голос осекся на полуслове и поинтересовался — кого?

— Девицу.

— И в каком состоянии барышня?

— Я не доктор! Но все, от нас зависящее, коллектив предпринял. Вызвана «скорая помощь» для поддержания жизни спасенной на водах!

— Смотрите, Клер! — предупредило начальство. — Эта семья очень близка к королевским особам Англии!..

«Телевидение! — уверился Бернар. — Большое, пространное интервью в ночном ток-шоу!»

Он позволил себе бокал красного, закурил сладкую сигариллку и наорал на своих подчиненных, обвиняя их, что лишь одну девчонку спасли!

— Друзья королевы потонули! — кричал толстяк своим браконьерам. — А вы!..

— Что мы? — развел руками Франсуа.

— Да, в общем-то, вы!..

Винцо легло в желудок, словно теплая водичка в аквариум, а сигарилла укрепила легкие. Он пожевал губами оставшееся послевкусие.

— В общем, вы — молодцы! — неожиданно для себя похвалил, а не обругал подчиненных Бернар. — Молодцы, что хоть одну девчонку спасли!

Мужчины, польщенные, заулыбались.

— Я вам, уроды, покажу, как лобстеров истреблять! — заорал Бернар и тоже улыбнулся передатчику.

Как все толстяки, господин Клер был добрым человеком и посчитал, что если уж ему слава выдалась, то почему бы ее отблескам не упасть на плечи таких парней, как Франсуа и Жан...

Через три дня подняли со дна «Титаник» и извлекли из его люксового нутра трупы. Примечательно было, что стрелки всех часов остановились на шести, из чего эксперты установили точное время катастрофы.

Кое-кто сделал умозаключение, и на следующий день все газеты, а также журналы вышли с сенсационными заголовками типа: «Тридцать с лишним часов на воде», «Двенадцатилетняя англичанка провела две ночи в открытом море» или «Маленькая английская героиня»!

Лизбет поместили в самую лучшую клинику, и через некоторое время стало известно, что все расходы по лечению взяла на себя английская королева.

«Мы не бросаем своих друзей!» — прокомментировали королевские пресс-службы на весь мир.

Через месяц Лизбет выписали, и на родину ее доставил самолет ВВС Великобритании.

На старинном «Ягуаре» с королевским гербом ее привезли в Букингемский дворец и сначала провели на врачебный осмотр.

Врачом был лысоватый человек с грустными участливыми глазами.

— Как вы себя чувствуете? — поинтересовался он, вставляя в уши стетоскоп.

— Спасибо, хорошо, — ответила девочка.

Ее сердце и легкие послушали коротко, скорее проформы ради.

— Вы девушка или девочка? — как-то буднично поинтересовался врач.

Лизбет покраснела до кончиков пальцев ног.

— Я уточню вопрос. У вас уже бывают месячные?

— Да, — прошептала Лизбет, становясь совершенно пунцовой.

— Этого не стоит стесняться, — заметил королевский эскулап. — Это совсем простые вещи.

Он вышел, а еще через пять минут девочку препроводили к королеве.

Елизавета Вторая находилась в небольшой, но очень красивой комнате, стены которой были выложены неизвестным Лизбет прозрачным с синевой камнем. Одета королева была по-будничному — в простое платье и без венца на голове.

Девочка сделала книксен. Он получился чрезвычайно кривым, таким, как если бы его изобразила индейка. Королева улыбнулась, сошла со своего кресла и поцеловала девочку в лоб.

«Какая некрасивая девочка», — подумала Ее Величество.

На этом аудиенция была закончена.

Много еще лет потом Лизбет недоумевала, почему доктор интересовался таким интимным вопросом. Ее мучило сие непонятное, пока она вдруг случайно не наткнулась в исторических хрониках на тот факт, что с приходом месячных девочка становится взрослой и королевская особа целует девушку в лоб; в ином случае девочку целуют в щеку...

«Королеве неприятно целовать готовых к совокуплению и родам девиц», — сделала вывод Лизбет.

Ее поместили в привилегированный пансион для девочек, где мужчинами были лишь садовник Билл, семидесяти трех лет, и истопник Джейк, горбун среднего возраста с огромными и длинными ручищами.

Помимо учебы девиц интересовала только одна тема: молодые люди. Некоторые, у кого имелись родственники, забиравшие их на каникулы домой, после во мраке ночи рассказывали о всякого рода приключениях с юношами.

Чего только не наслушалась Лизбет в спальне! И про поцелуи, и про нежные пальцы, ласкающие молодые грудки, и... В дальнейшее она не верила, затыкала уши, так как слушать вранье было невыносимо.

«Меня это волнует, — как-то призналась себе Лизбет, — волнует! Волнует! Поэтому я не слушаю, даже если это вранье».

— Почему ты закрываешься подушкой? — как-то поинтересовалась одна из счастливиц, привезшая из родных пенатов после рождественских каникул очередную love story. — Ведь у тебя этого никогда не будет! Так хотя бы ощути чужую полноту жизни!

На счастливицу для порядка зашикали, а Лизбет удивилась:

— Почему не будет?

Девочка, рассказывающая о глубоком поцелуе, о щекотании языком неба, от вопроса одноклассницы потеряла на мгновение нить повествования, потом нашлась и заговорила, смеясь уже в начале фразы:

— Я представляю... Ха!.. Как мой Питер... Ха!.. Облизывает ее усики под носом! — и загоготала совсем не как воспитанница королевского пансиона. — Он так свой ловкий язычок поранит!..

Здесь не выдержали все и засмеялись в голос. Немка Марта, дурнушка еще пострашнее, чем Лизбет, надрывалась более всех.

Лизбет не обижалась на подружек, тем более по сути все они были добрыми девочками, но непосредственная детская жестокость, которая с годами уходит, как и само детство, проявлялась в них по отношению именно к ней, да что поделать!

В особенности Лизбет было жаль Марту, так как немочка с перешитой заячьей губой, может быть, и понимала, что в ее жизни не будет принца, но прятала эту драму так глубоко в подсознание, что чувствовала и вела себя как самая красивая девочка пансиона.

— У него такие тонкие и длиннющие пальцы! — продолжала между тем рождественская счастливица. — Они такие длинные и белые, словно у Дракулы...

— А ты видела Дракулу? — захихикала Джудди, племянница адмирала, чьи родители погибли в авиакатастрофе.

На нее зашипели, желая продолжения истории, да и сама Джудди только этого и хотела, имея на очереди свой рассказ, а вопрос был задан от нетерпения!

На этот раз Лизбет решила не затыкать ушей и не прятать голову под подушку. Она посчитала, что должна быть честной перед собой, и если ей нравится слушать, то почему бы и нет? В конце концов, у нее действительно растут усики под носом, а лицо после укуса медузы стало бледное и все в черных точках, словно порох въелся.

«Может быть, мне действительно придется жить чужими минутами счастья?» — подумала она, выставляя ушко навстречу сладким сказкам.

— И такой он шустрый, этот Питер, даром, что в крикет играет, — продолжала счастливая девочка. — Он эти пальчики Дракулы засунул мне в трусики!..

— Ой, правда?! — не выдержала напряжения зайка Марта.

— Ну конечно, я дала отпор нахалу!

— Что, — поинтересовалась Джудди, — по щекам надавала?

Лизбет ненароком представила себе длинные белые пальцы в своих трусиках, отчего в ногах стало невыносимо жарко. Еще она вспомнила отца и его мертвые стеклянные глаза...

«Папочка», — прошептала девочка чуть слышно, и из глаз ее выкатились две крошечные слезинки.

— Зачем по щекам? Я просто сделала серьезное лицо и поставила ультиматум: либо он не гуляет ниже пояса, либо пусть мотает играть в свой крикет!..

— А мой Бен, — встряла Джудди, — мой Бен засунул свой язык мне в ухо!

В палате воцарилось молчание. Джудди этого не услышала и продолжила:

— А я уши не мыла!

Так в спальне пансиона не смеялись никогда! Сотрясались стены, казалось, что даже фундамент ходит волнами! Половина девочек попадали с кроватей, держась за животы, с криками: «Ой, не могу! Держите меня скорее! Умираю!» Остальные корчились на своих матрасах. Даже Лизбет смеялась, казалось, громче всех!..

С той ночи Лизбет стала изучать свою внешность. Как умная девочка, она понимала красоту, чувствовала нежное, но до четырнадцати лет никогда не сопоставляла себя даже с местными, пансионскими эталонами красоты. Да что внешность — даже внутреннее состояние, душу свою не могла примерить к восторженным девичьим россказням. Лизбет казалось, что все непременно должны чувствовать именно как она, или, наоборот, она как все...

Осознав, что природа не дала ей красивых глазок, вздернутого носика и вишневых губ, девушка сделала простой вывод. Уж если она разнится с остальными внешностью, уж если ее зад тяжелее, чем у других, а нос словно груша, которыми пансионерок осенью угощал горбун Джейк, то, вероятно, и душа у нее отличная от других. «Вот только лучше или хуже?» — встал вопрос.

Она долго не могла найти ответа, мучилась, не зная, как сравнить, а потом в одну из ночей пришло прозрение, что душа, может быть, и не лучше, чем у других, и не хуже, просто она другая. И у других душа иная, нежели у нее. Ах, как все просто!.. И так Лизбет вдруг захотелось познать души других и познавать их бесконечно, что всю ночь она провела как в лихорадке, а под утро ей приснилась немка Марта, спящая с открытым ртом, из которого вдруг выпрыгнул зайчик и поскакал прямо по личикам спящих девочек. И лица Лизбет коснулся хвостиком. Она открыла глаза и увидела склонившегося над ней горбуна.

— Тс-с-с! — держал когтистый палец возле губ истопник.

А она вовсе не испугалась, спокойно смотрела, как горбун пятится к дверям, не отнимая пальца от губ.

А потом ей почудился запах розы. Она повернула голову на подушке и вскрикнула, поранившись о шип чудесного, с белоснежными лепестками цветка. Капелька крови выкатилась вон, и Лизбет на секунду представила себя Эсмеральдой, а истопника Квазимодо.

Раз, два, три — она даже не успела помечтать, как в голову пришла отрезвляющая мысль. Монстр полюбил монстра...

На следующий день, после обеда, Лиз смело подошла к горбуну и сказала:

— Вы никогда не засунете свои пальцы ко мне в трусы, потому что вы — урод!

Карлик печально улыбнулся:

— Нет некрасивых женщин, есть женщины с неразгаданной красотой!

— Я знаю, что некрасива, даже физиологически неприятна, но это не значит, что я умаляю собственное достоинство, найдя утешение в объятиях такого же пренеприятного субъекта. К тому же мне четырнадцать с половиной лет, и человеку вашего возраста непозволительно даже намекать на что-либо двусмысленное! Мне кажется, в нашей стране это карается законом!

Горбун поклонился Лизбет, вывернув голову так,

чтобы девушка рассмотрела его лицо и прочла на нем полное смирение.

Лизбет засушила розу и хранила ее в тумбочке, как доказательство самой себе, что кому-то она была мила...

Тем временем ночные бдения пансионерок продолжались, рассказы становились все более откровенными, и Лизбет не знала, чему верить, а чему нет. И что самое поразительное — в рассказчицы записалась зайка Марта, которую в первые минуты послушали снисходительно, но чем долее продолжался рассказ немки, тем больший восторг он вызывал, даже восхищение.

— Если она врет, — хлопала в ладоши Джудди, — то делает это гениально!

Рассказы Марты были неисчерпаемы, тогда как у девочек куда искушеннее все кончалось лишь повторением старого с добавлением какой-нибудь дурацкой детали. Например, рождественская счастливица довыдумывалась до того, что ей ее Питер будто бы даже носочки стирал по ночам.

— Ты бы еще сказала, что он тебе спинку в ванной тер! — заметила какая-то девица из дальнего угла.

— Фи, — обиделась подружка Питера, преотлично понимая, что залила по полной.

— ...Его пальцы никогда не залезают в трусики, — продолжала Марта свои рассказы. — Они не столь красивы, но безошибочно умеют находить на моем теле те места, от которых, когда их ласкают... — Дальше следовала пауза. Марта, сощурив глаза, будто вновь переживала сладкие минуты. — Когда их ласкают... когда согревают горячим дыханием... облизывают языком... у меня трусики становятся мокрыми...

Лишь одна недомерочка Мария, задержавшаяся в физическом развитии, захихикала из-под окошка, обрадованная, что не одну ее мучает энурез. Остальные прекрасно понимали смысл сказанного Мартой. Не составляла исключения и Лизбет.

«Меня никто не трогает пальцами, — размышляла Лиз. Но лишь фантазия одна заставляет мое тело портить белье. Но мои фантазии по сравнению с вымыслами немки Марты куда как беднее. Я и сотой части сочинить не смогу! Бедная Марта!.. Она так фантазирует, потому что совсем несчастна...»

А через несколько недель, случайно зайдя на хозяйственный двор, Лизбет застала картину, повергшую ее в стыдливое изумление. От увиденного все ее тело словно током пронзило. Душу обдало сначала холодом, а потом адским жаром.

Из-за высокой дровяницы торчал горб истопника, виднелся почти черный от волос зад, который двигался взад-вперед, по кругу, исполняя какой-то немыслимый танец.

Первым порывом Лизбет было немедленно уйти, так как ей показалось, что горбун справляет малую нужду, но здесь она услышала девичий вскрик, обернулась на отходе и лицезрела маленькую обнаженную ножку в голубенькой туфельке.

— Боже! — воскликнула Лиз, давя крик ладошкой.

Этот мерзавец мучает бедную Марту, рвалось возмущение из груди девушки. Надо немедленно остановить монстра!..

Но Лизбет в своем негодовании почувствовала некую театральность, какую-то неискренность. Вдобавок, услышав еще один вскрик Марты, она осознала свое тело вдруг утерявшим силы, размякшим, словно после долгих солнечных ванн, томным, как

76

будто только что поела досыта сладостей. Девушка вдруг поняла, что не фантазии Марты развлекали ночами пансионок, не ее болезненные выдумки, что ведала она им про самое что ни на есть происходящее, истинно интимное, сделавшее зайку на голову выше в женском познании... Марта не была несчастна, Марта была счастлива!..

Из глаз Лизбет потекли слезы, она побежала прочь от хозяйственного двора, влетела в спальню, упала на колени перед тумбочкой, выхватила с полки засушенный цветок. Царапая ладони в кровь, она сминала стебель, рвала на части белую розу, этот символ непорочности, предложение страсти, которым она не воспользовалась!..

Потом ей захотелось немедленно доложить директрисе о невиданном распутстве в пансионе Ее Величества. Она даже застучала каблуками вниз по ступенькам, слагая в голове обвинительную речь против Марты и горбуна.

Но сердце, стучавшее, кажется, на весь свет, вдруг замедлило свой ход, душа осела на привычном месте, и в голове у Лизбет прозвучало вдруг громко, как будто в мозги влез кто-то: зависть!

— О Боже!

Это открытие потрясло девушку не меньше увиденной картины. Она вдруг выпрямила спину, вздернула голову и вновь направилась к хозяйственному двору. Не пыталась быть незаметной, просто шла, как умела, — некрасивая девица, качающая уродливыми бедрами.

Лизбет завернула за дровяницу, и новая картина ожгла ей глаза. Как будто медуза вынырнула из прошлого...

Они лежали абсолютно голыми на куске льняной ткани, брошенной прямо на сено. Причем от позы

Марты, от ее раскинутых ног, разило таким перво-
бытным бесстыдством, что Лизбет тотчас отверну-
ла голову прочь.

Она услышала за собой шорохи, хихиканье Марты, потерявшей в своем глупом счастье чувство са-
мосохранения.

— Хи-хи!

Лиз обернулась и увидела в каких-то сантимет-
рах от своего лица личико Марты с пересеченной
шрамом верхней губой.

— Хи-хи!

Лизбет вновь отвернулась и заговорила быстро,
что никому не скажет об увиденном, что любовники — она так и сказала: «любовники» — потеряли в
своей влюбленности обычную осторожность и что,
будь на ее месте любая другая девочка, все могло бы
кончиться очень плохо!

— Можете не сомневаться в моем молчании!
Будьте уверены, что я никому ничего не скажу!

— Любименькая моя! — вдруг заверещала Марта. — Ласточка!

Немочка обняла соученицу и принялась осыпать
ее лицо и шею страстными поцелуями, пахнущими
чем-то неизвестным для Лиз, непонятным, так что
она даже не могла осознать, нравится ей этот запах
или нет.

И подходит ли к этому запаху понятие «нравится»?

Ей вдруг непременно захотелось увидеть горбуна. Вероятно, это запах его тела остался на губах
Марты. Она обернулась, но обнаружила лишь пус-
тое покрывало.

Марта продолжала истово целовать преданную
подругу, пока Лизбет не оттолкнула ее настойчиво.

Немочка не замечала раздражения подруги. Приговаривая всякие нежности, достала из дров одежду и неторопливо принялась натягивать ее на себя. Видно было, какая ей неохота это делать.

Глядя на голую Марту, Лиз вдруг случайно осознала, сколь красиво у немочки тело. Обезобразив лицо, природа целиком реабилитировалась в чудесных девичьих формах. Совершенные линии бедер, глядящие в поднебесье небольшие, но изящные грудки, чуть покатый живот с крошечным беспорядком в его основании заставили Лиз неотрывно смотреть на чудесную наготу, которая не шла ни в какое сравнение с ее безобразными телесами.

«Ах, зависть! — вдруг опять зажглось у нее в мозгу. — Ах, запах любви!.. Ах, запах уродства!..»

Следующей ночью Марта опять принялась развлекать подруг рассказами из своего интимного опыта.

Лизбет старалась не слушать о боли, смешанной со сладостью весенних цветов, о единении двух тел в одно прекрасное целое...

Она вновь прятала голову под подушкой и делала вывод, что для каждого прекрасное означает разное, вероятно, и красота понятие субъективное, если есть чувство. Еще она поразмышляла на тему красоты безусловной, понятной всем, сотворенной Джотто и Боттичелли, о красоте Господнего лика и созданного им мира. Насколько красота безусловная затмевает красоту, которую замечают лишь двое...

Девушка вздохнула и призналась, что личное понятие о красоте может быть и неправильное, но оно куда как дороже для Марты, нежели национальная галерея со всеми шедеврами, в ней хранящимися...

А потом их поймали. Как преступников. Взяли с поличным, когда только что произошли любовные кульминации, когда еще не обсох пот страсти.

Директриса в сопровождении шести полицейских агрессором явилась на хозяйственный двор.

Как кричала немочка Марта, когда ее силком кутали в одеяло! Как она визжала, когда на запястьях горбуна щелкнули наручники; ее взяли на руки, а она изо всех сил старалась вырваться, колотила ногами, пыталась дотянуться до разлучников зубами.

— Люблю его! — кричала. — Люблю!..

— Бедная девочка, — приговаривала директриса. — Бедное дитя!

Дабы не шокировать учениц пансиона, полицейская машина въехала прямо на территорию, закованного в металл истопника втолкнули в кабину, причем один из полицейских исподтишка ударил урода по горбу.

Джейк вскрикнул и практически упал в зарешеченный полицейский автомобиль.

Марта, услышав его боль, вдруг обмякла в руках представителей властей, на мгновение ей показалось, что она умирает, и рада тому была девочка, но лишь сознание изменило ей, потерялось в столь сложной драме...

Ее тоже увезли, хоть и не на полицейской машине.

Пару дней пансионки ходили притихшие. Поначалу они не знали, что произошло, а потом, когда произошла утечка с кухни, когда кухарка запустила информацию во всех подробностях, ночи стали еще более насыщенны, потому что обсуждались не бесхитростные девичьи выдумки, а совсем взрослые женские дела.

— Как она могла! — возмущалась рождественская счастливица. — С таким уродом!

— Фу, какая мерзость, — поддержал кто-то.

— Я бы лучше навсегда девственницей осталась, — с пафосом произнесла Джудди. — Чем с таким чудовищем!..

Она не нашла подходящих слов для окончания своего заявления, а потому сказала что-то про своего Бена нелицеприятное и что надо вообще пересмотреть свое отношение к мужчинам.

— Слушать рассказы интересно и подчас приятно, — заключила умная девочка. — Но вот заниматься самой столь гадкими вещами!

Лиз не участвовала в ночных бдениях. Она лежала, повернувшись к стене, и иногда даже плакала — жалела немочку Марту и, вероятно, себя заодно.

Ей казалось, что в ее жизни ничего подобного не будет. Никакой такой любви! А зачем она, эта любовь, если ей на смену приходят такие страдания?

В ее уши то и дело возвращался крик Марты «люблю его»! Он не давал Лиз возможности уснуть, она думала, что если бы было угодно Богу, то на месте бедной немочки, вполне вероятно, могла оказаться и она. Но то ли по Его же воле, то ли наперекор Ему, она отказалась от любовного призыва!..

А через месяц Марта вернулась в пансион.

Прошел слух, что она была беременна и ей насильно сделали аборт. Потом кормили какими-то успокоительными таблетками, пока девочка не стала покорной, как теленок.

На все вопросы подруг она строила удивленные глаза, будто не помнила, что с ней произошло совсем недавно, какая драма накрыла ее сердце и душу.

И только тогда, когда всем надоело задавать бессмысленные вопросы, когда по ночам теперь стали засыпать безо всяких историй, Лизбет вдруг очнулась от шепота Марты, которая стояла перед ее кроватью на коленях, слегка покусывала мочку уха и шипела в самый мозг:

— Предательница! Будь ты проклята! Гадина!

Лиз пыталась было оправдываться, что к разоблачению любовников она ровным счетом не имеет никакого отношения, что лишь их собственная неосторожность погубила влюбленных. А она, как обещала, хранила тайну!

В ответ на все оправдания Лиз Марта пребольно куснула бывшую подругу за ухо, так что на шее стало горячо от потекшей крови.

От крика Лизбет удержалась, лишь старалась смотреть в глаза немочки пронзительно, дабы та рассмотрела в них истину.

Марта была слепа в своем горе, молчала на протяжении последующего месяца, а потом с кухни пришли известия о том, что горбатому растлителю присудили пожизненное заключение. К вечеру того же дня на хозяйственном дворе с помощью бельевой веревки немочка удавилась...

Лизбет была потрясена смертью наперсницы. До Нового года она находилась в каком-то оцепенении, пока вдруг ей в голову не пришла мысль узнать, что же такое мужчина? Почему от противоположного пола происходят несчастия и беды одни?

Ответ она надеялась отыскать в библиотеке. А что ей еще оставалось делать, если на территории пансиона остался единственный мужчина — садовник Билл. Да и того с трудом можно было отнести к вышеназванным особям, то был почти древний старик. Его уже хотели списать на пенсию, особенно после случая с Мартой, но искусному садовнику пока замены не нашлось, да и в мозгу его поселилась бесполая благодать.

Лизбет пару раз пыталась заговаривать с Биллом, напрямую спрашивая, чем отличны мужчины от женщин, а последние от первых?

Садовник, работая большими ножницами над туей, такому вопросу нимало не удивился.

Он срезал топорщащийся листочек и ответил:

— Ничем.

— Как ничем? — удивилась Лиз. — Совсем?

— Все мы умрем: и женщины, и мужчины.

После такого ответа девушка поняла, что дальнейшие вопросы бессмысленны, и так ее душой владело упадническое настроение. Она окончательно уверилась, что ответы надо искать в библиотеке.

За три месяца упорного сидения перед полками с тысячами книг ей удалось узнать и Шекспира, и лорда Байрона, и Достоевского, и Толстого. Она штудировала книги по анатомии и физиологии, труды по искусствоведению; и даже теорию относительности Эйнштейна она пыталась одолеть, но не нашла в ней ровным счетом никакого касательства к своему вопросу.

У Шекспира и Байрона Лизбет почерпнула знания о глубоком радостном чувстве под названием любовь. О радости страданий шептали ей строки гениев. О великолепных муках, связанных с жаждой плоти, как мужской, так и женской!

Достоевский поверг ее в глубочайшую меланхолию, выписывая женщин страдающими безрадостно, идущими за мужчинами, словно удел их таков — быть собственностью сильного пола...

Толстой видел в женщине лишь предмет, которому он сам может только сострадать, но никак не любить!..

Об анатомических различиях Лизбет и сама знала, только теперь уже и представляла, отчего они происходят, эти различия. А всего лишь гормоны виноваты. Если у женщины переизбыток мужского гормона — тестостерона, то постепенно черты ее лица грубеют, появляется оволосение в необычных местах и многое прочее...

Лизбет ходила между полками с книгами, поглощая их десятками, но ответа на главный вопрос, что такое мужчина и что такое женщина, найти так и не могла.

Единственное открытие, какое ей удалось сделать: девяносто девять процентов поэзии и прозы было написано мужчинами. Такой же процент мужчин обнаружился и среди ученых и деятелей культуры. Музыканты и философы, политики и бизнесмены — в общем, все человечество состояло из мужчин. Тот единственный процент женщин, разбавивший мужской океан, оказывался, что называется, с мужскими особенностями. Чрезмерное присутствие тестостерона!..

Как ни странно, Лиз наиболее приняла позицию Льва Толстого. Как можно любить существо, которое в своем развитии стоит на эволюционную ступень ниже? Можно только сострадать женщине и рожать от нее мальчиков...

Ей не с кем было советоваться, и она сама пришла к выводу, что не имеет права поддаваться любовному чувству, что бы ни происходило с ее организмом, как бы ни требовала плоть и душа любви. Ее миссия женщины состоит в том, чтобы родить дитя мужеского пола и вырастить его в мужчину мыслящего, в полном смысле этого слова — интеллектуального, с творческим потенциалом, и даже не обязательно, чтобы он **сострадал** женщине!

Лишь только этот вывод оформился, Лизбет тотчас успокоилась. Она знала, на что потратит свою жизнь!..

Роджеру пришла пора явиться за кулисы, и он с неохотой поднялся из-за столика с недоеденным штруделем. Проходя через «Барбикан Центр» к залу, он вдруг похолодел всем телом и чуть было не сел посреди холла на пол. С ним не было его музыкального портфеля.

Он побежал вниз, в кафе, но уже по дороге вспомнил, что во время обеда портфеля с ним не было Тогда он развернулся и помчался к гаражу...

Портфель, как его и оставили два часа назад на сиденье мотороллера, так и сейчас на нем стоял.

Роджер щелкнул замками, проверив содержимое, и только после этого сердце вернулось на свое место. Откашлявшись после бега, он степенно направился к концертному залу...

————

3.

Когда Кольке Писареву оторвало дверью лифта палец, а врачи соорудили ему взамен культю, парень долго не тужил. Попробовал было играть на пионерском аккордеоне, но композиции, даже если принимать во внимание, что музыкант беспалый, получались сухие и невыразительные.

Вероятно, талант через окровавленный обрубок улетел туда, откуда явился, как улетает невозвратно каждый воздушный поцелуй.

Бабка показывала Кольку тем же музыкантам, которые называли мальчишку гением, и вопрошала, куда же все подевалось. Почтенные профессора лишь пожимали плечами да виновато улыбались. Разве они знают, откуда является гений и куда он уходит? Посоветовали не забрасывать музыку вовсе, так как, может, что еще и вернется. Из них никто не верил в это, ни секунды одной!

Одно радовало бабку, что немецкое слово «вундеркинд» более не подходит ее внуку. А пугала ее вещь, на которую она сама заложилась: злом ли был талант дан или добром? Еще страшнее — кем был отобран? И за что?..

Самого Кольку эти вопросы не заботили вовсе. В такие младые годы вообще подобные вопросы не рождаются. Колька Писарев, можно сказать, даже счастливым себя чувствовал. Теперь не надо было более проводить за игрой на аккордеоне целые часы. Особенно ему не нравилось, что во время игры он не ощущал своего тела, не нравилось, что сознание куда-то растворялось в неведанное...

У мальчишки было заначено аж двести пятьдесят рублей, и свобода передвижения по улицам стала неограниченной.

Бабке после смерти деда пришлось устроиться во вневедомственную охрану кондитерской фабрики «Большевик», откуда она баловала Кольку всяческими сладостями, каких и в магазинах не сыскать. По той же самой причине — полного рабочего дня — женщина утеряла контроль над внуком.

Поначалу Кольку сильно уважали во дворе за то, что у пацана пальца не было. Всем было известно, что отрезали ему фалангу какие-то залетные ухари, и кликуха за Писаревым установилась — Культя.

Ему даже плескали по полстакана пива. А когда двенадцать лет исполнилось, то и по целому наливали.

Но пацанское уважение к Кольке прошло так же быстро, как и пришло. Соседский парень Вовка Сальков дорос до десяти лет и просился в компанию пацанов постарше. От него отнекивались, давали щелобана, руки выкручивали, пока Вовка не предложил компании раскрыть истинную тайну потери Писаревым фаланги указательного пальца.

Здесь Вовку перестали мучить и выслушали совсем не занимательный рассказ о лифтовой двери, которая не вовремя закрылась и отсекла Кольке член руки. Вот и вся тайна!

Вовку Салькова после сего рассказа побили, и довольно жестоко. Не из-за того, что сомневались в честности повествования, наоборот, поверили. Били за предательство.

Вовка Сальков помнил об этом всю жизнь, так как по осени непременно писал с кровью...

Избили и Кольку Писарева, но гораздо легче, так как не за сдачу товарища, а за введение в заблуждение коллектива, попросту за вранье. Бывший аккордеонист расстался с двумя передними зубами, через дырку от которых впоследствии научился мастерски плевать на расстояние. Равных по этому делу ему не было во всей округе, а скорее всего, и в мире, просто проверить не было возможности. Этим своим умением Колька вновь снискал уважение корешков. Он попросил у пацанов прощения за обман и выставил угощения на двадцать рублей из заначенных денег.

Было выпито четыре бутылки водки, осушено два ящика пива и съедено три отечественных торта «Прага». Остальное все тоже было отечественным, так как тогда импорта вообще не существовало.

Кольку простили, но кликуху заменили. Стали звать не Культя, а Дверь.

В обязанность ему, четырнадцатилетнему, вменили разводить взрослых мужиков на спор, кто дальше харкнет. Разумеется, не на интерес, а на деньги. Выбирали компании доминошников или магазинных грузчиков. Все были курящими, естественно, гоняли дым без фильтра, а потому имели навыки сплевывания.

Провоцировал обычно Малец, парень крошечного роста, но не из-за лет, мало нажитых, а по причине нехватки гормона этого самого роста. Выглядел Малец годов на девять, хотя мамаша, работница бутафорского цеха в театре, родила его пятнадцать с половиной лет назад и он уже был приписан к районному военкомату.

— Кто ж так плюет? — подбирался Малец к компании доминошников, которые только и делали, что цыкали слюной, выстреливая прилипшими к нижним губам табачинами. — Взрослые мужики, а плюете себе на ноги! — и расплывался в улыбке херувима.

— Отвали, тля! — обычно отвечали.

— Сам бля! — отвечал Малец.

— Да я тебе!.. — замахивался оскорбленный, но Малец ловко отскакивал и, уставив руки в боки, декларировал:

— Мальцов легко кулаками побить, а вот переплюнуть!

— Как это? — обязательно подлавливался кто-то.

— А очень просто, — рассказывал Малец. — Вон у нас паря без пальца, доходяга, на литр готов спорить с любым, что харкнет дальше!

— Чего-чего?!

— А того.

Доминошная партия на этом расстраивалась, и все глядели на Кольку Дверь, который в этот момент устраивал на своем лице выражение испуга, словно его подставили, и, надо сказать, получалось у него это правдоподобно.

— Вот этот вот? — недоверчиво интересовался какой-нибудь доминошник.

— Он, — подтверждали пацаны. — Он, он!

Попадание в психику почти всегда было точным, так как в доминошной компании обязательно находился бывший блатной или косивший под оного, который чего-чего, а харкать умел.

Мужик вставал, засучивал рукава, обнажая синеву наколок. В эту минуту пацаны дружно и восхищенно мычали, отчего бывший зек чувствовал себя ворошиловским стрелком или ракетой средней дальности СС-20...

— Я не могу, — вдруг пугался Колька, и братва думала о Двери, что он истинный артист, прям Вячеслав Тихонов с Нонной Мордюковой в придачу.

— Почем играете в домино? — вдруг задавал посторонний вопрос Малец.

— По трехе за партию, — отвечали мужики.

— А мы вон сегодня червончик нашли! — хвастался Малец. Доставал из кармана бутафорскую купюру, стыренную у матери, лишь крашенную в цвета десятки, слегка махал ею в воздухе, раззадоривая компанию.

— Так это я потерял десятку! — обязательно вызывался кто-то из компании, почему-то всегда лысый, наверное из бухгалтеров.

— Если бы у тебя червонец был, — дерзил Малец, — ты бы себе парик купил, а не ходил бы с голой задницей на голове!

— Витек! — кричал бухгалтер блатному товарищу. — Отбери у гаденыша чирик! Или я за себя не ручаюсь!

Витек делал попытку с одного прыжка достать Мальца, но тот был на стреме и срывался с места воробьем, стремглав, а пролетев метра три, останавливался неподалеку.

— Ты чего это, Витек, — продолжал доканывать Малец. — Срок мотал, а сынков обижаешь! Плюнешь дальше Двери — десятка твоя! А если Дверь, — подходил к Кольке и что есть силы отвешивал Писареву затрещину. — А если Дверь плюнет дальше, то уж не взыщите, десяточку нам за труды.

Колька после затрещины взвывал, провоцируя в мужиках желание добить слабака. Бухгалтер выныривал из-за стола и угрожал:

— Да мы вам!.. — брызгал потом. — Ну-ка, Витек, плюнь в ту ворону, чтобы она мертвой свалилась!

Сам пытался плюнуть, да только себе в нос попадал.

Тут и остальные мужики присоединялись к бухгалтеру, подначивая блатного на сражение.

— Ну смотри, паря, — наливался кровью Витек. — Я тебя предупредил.

И тут Малец делал ход, что называется, конем.

— Пожалуй, мы откажемся! — говорил он раздумчиво. — Противник уж больно серьезен! Куда нам против специалиста!

— Я тебе откажусь! — ревел Витек, обнажая широченную щель меж зубами.

— Все равно вы нас, дяденьки, обманете! — трусил напоказ Малец. — Вдруг мы выиграем, а вы нам деньги не отдадите?!.

— Не бойся, моряк салагу не обидит! — начавкивал во рту слюну Витек и обращался к бухгалтеру. — Деньги давай!

— Почему я?!

— Да не бойся ты! Уж если проспорим, ха-ха, соберем с мужиков тебе!

— И все-таки, — гнул свою линию Малец, — для страховки положим деньги на нейтральной территории! Под камушек! Кирпичик! Так вернее будет. Победитель и возьмет их оттуда!

После этого мужики окружали компанию пацанов и начиналось обсуждение правил соревнования.

— Все очень просто, — объяснял Малец. — Чертим линию, с которой плевать. По траектории полета выстраиваем по три представителя с обеих сторон и фиксируем дальность. Чей плевок дальше улетит, того и червончик ублажит!

— Ну смотри, микроб, — с трудом выговаривал Витек, набравший уже полный рот слюны.

— Бабки гони, — резко подскакивал к бухгалтеру Малец и тыкал лысого в живот.

— Да я тебя!

— Эй, Витек, тут буза у вас между собой. Лысак бабок не дает, не уважает ходки твои геройские!

Бывший зек глядел на товарища бухгалтера поволчьи, и тот с великой грустью доставал из портмоне казначейский билет достоинством в десять рублей.

Малец проворно выхватывал бумажку, обеспеченную золотом, доставал из кармана свою, не способную даже обеспечить вытирание его крошечной задницы, клал призовые под кирпич и взывал к собравшимся:

— Внимание, внимание! Говорит компания! Сейчас будет соревнование!

Малец чертил носком ботинка линию отсчета, затем выбирал в судьи мужиков, тыкая в них пальцами, затем своих пацанов отряжал на другую сторону, а потом Кольку инструктировал, чтобы не дрейфил.

— На старт вызываются участники соревнования! Колька по прозвищу Дверь и Витек... Как там твоя кликуха?

Витек сам ответить не мог, так как слюна уже проливалась изо рта. Он только вращал глазами и топал ногой по линии старта, дабы скорее начинали.

— Носок его кликуха! — возбуждался бухгалтер.

— Дерзкое погонялово, — кивал головой Малец.

В этот момент лицо Витька наливалось кровью, и зачинщик соревнования понимал, что либо он сейчас прольется слюной вне соревнований и надает всем по башке, либо надо немедленно начинать.

— Итак, Колька Дверь и Витек Носок! На старт!

Поскольку Витек рыл линию старта ногой, как

конь копытом, Малец объявлял, что именно Носок первый плюнет на родные просторы.

— На счет три!

— Давай, Витек! — подбадривали мужики.

— Не подкачай!

— Раз, — возвещал Малец.

— Порви его! — не совсем уместно призывал кто-то.

— Два...

— Носо-о-о-к! — вдруг заорал лысый бухгалтер.

Витек откинул корпус, вдохнул шумно ноздрями, бросил голову вперед, словно метательный аппарат, открыл рот, и из него, словно из верблюжьей пасти, по пути обрызгивая всех стоящих, вылетело полстакана жидкости.

Надо сказать, что Витек оказался мастером своего дела, и тяжелая слюна, словно снаряд по отличной траектории, полетела на рекорд.

После ее приземления Малец струхнул, хоть и виду не подал.

— А-а-а!!! — заорали довольные мужики. — А-а-а!!! Молодец Носок! Танк тэ тридцать четыре!

Больше всех обрадовался бухгалтер. Он было уже бросился к кирпичику, под которым сохранялся призовой фонд, но Витек с великодушием в физиономии его остановил, мол, пусть пацан проформы ради плюнет, а уж потом...

— Попали на бабки! — хлопал себя ладонью по лысине бухгалтер. — Шелупонь мелкоглистная!

— Ну ты! — парировал Малец. — Грелка с поросячьей мочой!

Это было очень обидно, бухгалтер вынашивал план мести: после того как заберет свои деньги, поймает недоделку и оторвет ему уши!

Колька встал на старт. Он был бледен, и глаза его

косили на небо, как будто аккордеон на его плечи навесили.

— Ты уж постарайся! — увещевал Кольку Малец. — Сам ведь знаешь, за фуфловые деньги нас из мусорного ящика выскребать будут.

Колька ничего не отвечал, лишь тонкие губы его слегка шевелились.

— Чего кота за яйца тянете! — подгонял Витек, рассчитывая на три пол-литры.

Остальные пацаны стояли чуть поодаль, кроме отряженных судить, и предавались унынию. Колька хоть и далеко плевал, но на такое расстояние и ему было слабо. Каждый предчувствовал недоброе.

— Раз! — скомандовал Малец.

И пацаны, и мужики набрали в грудь воздуха, перестав дышать.

— Два!..

Лишь бухгалтер почти не смотрел на спортсмена, а, приобняв Витька за плечи, говорил ему что-то веселое.

— Три!

Никто даже не понял, что сделал Колька. Он никуда не откидывался, не раздувал ноздрей, а просто чуть приоткрыл губы, самую малость, еле слышно цыкнул, что многим вообще показалось птичьим голосом, и выпустил, словно из пращи, слюнку. Она была совсем крошечная, эта слюнка, но крепкая, как камень.

Все присутствующие на соревнованиях, словно в замедленной съемке, наблюдали, как летит этот маленький заряд, как он в своем стремлении к полету возносится над Витькиной лужей и, пролетев дальше метров на пять, приземляется на кусочек асфальта, расплющив на исходе огромную навозную муху с зеленым брюхом.

Никто еще не понял, что произошло, еще бухгалтер держал свою короткопалую руку на Витькином плече, а Малец уже успел вытащить из-под кирпича деньги, упрятать их в трусы и отбежать на почтительное расстояние.

— Атас! — закричал он Кольке. — Атас!

Все пацаны бросились врассыпную, а Колька по-прежнему стоял на стартовой линии — бледный и отрешенный.

— Держи его! — заорал бухгалтер. — Мои деньги! — и бросился на Кольку, желая ударить ему кулаком в бледный нос.

Здесь только до доминошников дошло, что случилось. Мужики поняли, что вечер придется жить насухую.

Кулак бухгалтера почти достиг самого Колькиного носа, когда был перехвачен рукой с тюремными наколками.

— Моряк салагу не обидит! — повторил Витек и вывернул бухгалтерский кулак до хруста. — Беги, пацан! — произнес бывший зек с грустью в голосе. — Беги!..

И Колька побежал. И совсем не в ту сторону, куда сыпанули его товарищи, а в противоположную. Он не думал сейчас ни о чем, а летел по улице, словно слюнка его — бессмысленно, но так уверенно, что прохожие расступались, вскрикивая, как будто это не мальчишка летел в своем беге, а как минимум разрывная пуля...

А потом гулянка была — мама дорогая! К выигранной десятке пацаны скинулись еще по рублю, у кого было. Купили семь чекушек водки, пива «Московского» с осадком, два баллона с шипучим напитком «Салют», колбасного сыра кило и килек немеренно.

На чердаке сталинского дома Колька впервые напился до глюков. Ему все казалось, что это не Малец сидит на ящике напротив, а дед его. Колька тянулся к нему руками и просил деда вернуть аккордеон. А Малец ржал в ответ, как полковая лошадь, тоже напился порядком, да и остальные пацаны — кто валялся в голубином помете, а кто пытался с помощью пальцев вернуть глаза на место.

А потом всей компанией дружно блевали с крыши вниз на прохожих.

Их приняло семнадцатое отделение милиции...

На следующее утро Колька и Малец проснулись в вытрезвителе.

Сначала вызвали Кольку. Какой-то капитан презрительно смотрел на бабку, а она плакала, размазывая по щекам пудру.

— Вы, что ли, мамаша его? — выцедил вопрос капитан.

— Я — бабушка.

— А мать с отцом где?

— А так — ушли поутру в булочную баранок купить и не вернулись.

— К вечеру вернутся, — сказал капитан, зачем-то открыл сейф, в котором лежал «Макаров», затем вновь закрыл.

— Сегодня уж вряд ли вернутся, — вздохнула бабка.

— Вот и будем лишать их родительских прав! Шляются неизвестно где, а пацан в вытрезвителе ночует!

— Тринадцать лет назад пошли его родители за сушками...

— Чего? — не понял капитан.

— Пошли в булочную, — пояснила бабка, — а пропали без вести. В вашем отделении заявление писала. Искали, искали, так и не нашли!

Капитан на мгновение задумался.

— Писаревы?

— Писаревы, — подтвердила бабка.

— Помню, помню. Я тогда младшим лейтенантом был.

— И я вас помню. Я тогда младше на тринадцать лет была.

— Не нашли, — подержался за нос капитан.

— Не нашли, — посуровела бабка. — Внука отпустите.

— Да-да, конечно! — И подписал пропуск

— Найдем! — пообещал капитан.

— Обязательно найдете, — согласилась бабка и вывела Кольку за дверь...

С этого похмельного утра Колька Писарев много лет не видел Мальца.

Милиционеры обнаружили в его кармане фальшивую десятку, вызвали мать, которая, оказывается, написала заявление о том, что реквизиторские деньги из театра украли. На сына и не думала. А на семейную беду, Малец несколько купюр отоварил в магазинах, получив от замученных кассирш сдачу настоящими деньгами. Это было уже тяжелое преступление.

Состоялся суд, и Мальца приговорили к шести годам исправительной колонии для малолетних.

— Давай, Дверь! — крикнул Малец другу, когда его, заключенного в наручники, уводили из зала суда. — Будь, пацан!..

Бабка Кольку не ругала за пьянство и уголовную компанию, лишь плакала тихонько в сковородку с жарящейся картошкой. И Колька плакал по ночам — жалко ему было друга своего...

А потом все понемножечку забылось. Колька больше водки не пил и продолжал учиться в школе, а по вечерам с пацанами травили похабные анекдоты, курили сигареты «Дымок» и девок шалавых из ПТУ щупали.

Кольке нравилась девичья плоть, особенно мутился разум, когда удавалось залезть под кофту, рвануть с треском лифчик и на два мгновения утопить в своей ладони шелковую девичью грудь с маленьким съежившимся соском. И сколько потом ни била по мордасам обиженная, например Женька, Колька боли не признавал, а чувствовал лишь мучительное томление во всем теле. Как будто зубы ныли, но ныли выматывающе приятно.

И вдруг он влюбился в эту самую Женьку, учащуюся ПТУ.

— На фрезеровщицу учусь! — сообщала она и хлопала густо намазанными ресницами.

Колька смотрел на нее с восхищением, ничего не слышал, только вспоминал пойманный на мгновение в ладонь плод. Вспоминал не мозгами, а телом, которое тотчас отзывалось, покрываясь мурашками до кадыка.

Он был с нею нем как рыба. Она верещала без умолку, а он лишь глазел на ее сарафанчик, мечтая украсть глазом кусочек наготы. Женька была вертлява, а потому крохотная грудка то и дело вспыхивала своею белизной под солнцем. А он ждал, когда она выпрыгнет до конца, покажет всю свою лисью мордочку...

Что он будет делать в этот момент?

Застынет гранитом.

Это под пиво, пока влюбленности не было, запросто руки шарили где угодно. А когда в душе что-то появилось незнакомое, так что сердце вечерами ломило, когда о Женьке думал наяву, сидя прямо перед ней, руки казались негнущимися, челюсть — неспособной вымычать и слово неглупое.

— Какой-то ты квелый, — вдруг прерывала свою болтовню Женька. — Молчишь все, слова от тебя не дождешься!..

— Дождешься.

— А вчера, когда мы с девчонками после смены в душевой были, воду отключили!

Женька рассмеялась, а Колька принялся дрожать всем телом.

— Ты чего, замерз?

В ее вопросе была невинность, а в его мыслях мелькали греховные картинки девичьей душевой. Их было там много, намыленных, но были они все расплывчатыми, кроме Женьки, которую Колька представлял себе так явно, будто она тут, прямо перед ним, на скамейке, разделась догола.

— И побледнел ты весь! — испугалась девчонка.

— Не уходи, — попросил Колька.

— А я и не собиралась... Странный ты все же!..

И вдруг маленькая грудка вырвалась на мгновение из-под сарафанного укрытия, показав Кольке свою тайну. Женька буднично поправила на груди сарафан, пряча детское сокровище восвояси, а Колька почувствовал себя словно его, как поросенка, кипятком обдали. В глазах поплыли круги, сердце било о грудную клетку, словно молот о наковальню, ноги подломились, и он упал рядом с лавкой, отрядив свое сознание, наверное, поближе к раю...

А когда очнулся, то увидел над собою склонившуюся Женьку. Лицо ее было напуганным, от близости пахло вермишелевым супом, а отвесившийся ворот сарафана открывал его взору обе девичьи грудки.

«Надо было сразу в обморок упасть», — подумал про себя Колька и крепко зажмурил глаза.

Она помогла ему усесться на лавочку, сказала, что

ей надо спешить, мол, про фрезу выучить необходимо, а он лишь кивнул головой на прощание.

Когда девочка скрылась из виду, Колька понюхал воздух и, не найдя в нем и единой молекулы запаха вермишелевого супа, встал на ноги, пробежал три метра и, что есть силы, шибанулся головой о старый тополь.

Так, в тот день любви, он дважды потерял сознание.

А потом неделю не выходил из дома. Во-первых, голова отчаянно болела, а во-вторых, глубочайшая печаль вошла в его сердце. Он денно и нощно думал о Женьке, представлял ее в разных видах, отчего самому стыдно было. Гнал эти скабрезные картинки, желал лишь про благородное думать. Даже взял с полки томик Пушкина, прочитал «Я вас люблю...» — и почему-то стало противно. То ли оттого, что сам так Женьке сказать не сможет, то ли от зависти к мертвому поэту — ему-то точно все легко давалось, сказочнику, то ли еще от чего...

Даже бабкину жареную картошку не ел.

— Уж не влюбился ли ты? — интересовалась бабка, засовывая сковородку в холодильник.

За этот вопрос старуху хотелось убить.

— Засохнешь, как гербарий! — предупреждала она внука, а сама вспоминала, как он мальчишкой искупался в немецкой крови. — Вырастешь, к немцам не езди! Даже в турпоездку!

«И бабка с ума сошла, — думал Колька. — При чем тут немцы, когда одна Женька на уме».

Когда остался один, спер из трюмо с треснутым зеркалом коробку духов «Красная Москва» и решил, что подарит дефицитный запах предмету своего обожания. Краем проскользнула мысль, что не станет тогда запаха вермишелевого супа. Ничего, решил, попрошу бабку супчик сварить, тогда Женькой всю неделю пахнуть будет. Еще он почувствовал себя чуточку виноватым за кражу. Охраняя государственное добро, бабка лишилась личного.

Несколько дней Колька не мог отыскать Женьку. Заходил даже в ПТУ, но и там ему отвечали, что девушки уж неделю как нет.

— Вероятно, заболела!

Все это время он таскал с собой «Красную Москву», перевязанную желтой лентой, и в душе подвывал, боясь, что больше никогда не увидит предмет своего обожания.

Он увидел ее. Вернее, не ее, а их, на том чердаке, где когда-то его лучший плевок обмывали. Она была с Сашкой Загоруйко, из ребят постарше, которым по осени в армию. Если описывать, что делали две особи противоположного пола на чердаке, то это и так понятно. Но что произошло с Колькой от этой увиденной картины, скорее всего, отзовется во всей его жизни.

— А-а-а! — закричал он с такой болью в голосе, как будто Амур наживую стал из его сердца стрелу вытаскивать. — А-а-а!..

Он рванулся с чердака, раздирая ворот рубашки, слетел кубарем по каким-то лестничным маршам, стукаясь головой обо все углы, выкатился на улицу и помчался куда ноги несли, а по правой ноге его стекала вонючая «Красная Москва» вперемешку с кровью из ляжки, покарябанной осколками бутылочки...

Он вскочил в электричку на Ярославском вокзале и ехал в забытьи, очнулся на станции Софрино, еще долго бежал, пока наконец не осознал себя в лесу.

Уже темнело, а он шел вглубь, не разбирая дороги. Здесь, один на десять тысяч деревьев, он разры-

101

дался, да так, что притихший к ночи лес вновь ожил и сотней голосов откликнулся на его горе.

— Гадина! — кричал он сквозь рыдания. — Шлюха!!!

Перед глазами стояла ужасная картина Женькиной подлости. Его мечта исполнилась, он увидел свою страсть обнаженной, только металась она в руках Сашки Загоруйко, а не успокаивалась в его, Колькиных, объятиях.

— А-а-а! — опять возопил он и сунул голову в огромный муравейник, подпирающий вековую ель.

Из огромного, полного звуков мира он попал в тишину, которая лишь поскрипывала в ушах.

«Наверное, это муравьи работают», — подумал Колька. Как здесь спокойно и уютно... Он опять представил себе голую Женьку и теперь рассмотрел, что делал с наготой его любви будущий призывник...

Он совершенно с ума сошел от осознанного, но вместе с тем понял, что есть разные люди. У одних рост высокий или размер ноги большой, у кого-то уши оттопыренные, а у Сашки Загоруйко то, что пониже пупка росло, таки выросло выдающихся размеров... Еще Колька вспомнил глаза Женьки. Они были наполнены слезами, а он еще не знал, что слезы бывают от счастья...

«Насиловал! — ухватился Колька за соломинку. — А я не спас ее!..»

Здесь все мысли его прервались, так как за дело принялись муравьи. Они не желали входить в положение убитого горем пацана, просто тысячами укусов мстили человеку, разрушившему их дом.

И опять он заорал: «А-а-а!» — но теперь уже от боли физической. Вскочил на ноги и рванул сквозь чащу, раздавая себе сочные оплеухи и пощечины.

А потом по пути попалось тухлое озерцо, в которое он сиганул, как в озеро счастья, и долго сидел под водой, наслаждаясь прохладой, смывшей с его лица муравьев-убийц.

Мимо проплыл гордый бычок, с удовольствием сглотнувший парочку мурашей. Еще он увидел человека. И не в первый раз пришлось гордому наблюдать высшее создание, видал он такое, только с распухшей головой и выпученными глазами. Целый год потом все обитатели пруда питались венцом творения.

Видать, мысли бычка передались Кольке, и он, щелкнув челюстью, поймал рыбку и перекусил ее надвое. Получился некий законченный цикл в природе...

Колька выплыл на берег, снял с себя одежду и отжал ее. Странно, но после муравьиной кучи и тухлого озера ему стало гораздо легче. Тем более появилась версия, что Женька с Сашкой не добровольно, а по принуждению.

Дома бабка охала и ахала над внуком, лицо которого опухло настолько, что глаза превратились в щели, а вместо носа только две дырки посвистывали.

Уж она ему примочки на лицо накладывала, лед из заморозки доставала, все причитала, что не справляется с внуком одна, уж скорее бы из булочной его родители возвращались.

— Я тебе сейчас примочечку из муравьиного спирта сделаю! — радостно воскликнула бабка и подалась было к аптечке, но тут Колька взвыл со всем отчаянием, на которое был способен, так что старую отшатнуло.

— Бабуля! — кричал он. — Бабуля, у меня кто-то в ухе ходит!

«С ума сошел», — подумала бабка и вызвала «скорую».

Врачи влили под напором огромного шприца какой-то раствор в ухо, и из него вытекла струйка, вынесшая на свет Божий с десяток окочурившихся муравьев.

Докторов потом поили чаем с уворованными с «Большевика» сладостями.

Пришедший в себя Колька подобрался к уху усатого фельдшера и спросил:

— Скажи-ка, дядя, а штука, из которой писают, до какого возраста растет?

Фельдшер подавился грильяжем, откашлявшись, выразил благодарность за шоколад, косо взглянул на Кольку и посоветовал бабке не сводить с внука глаз. На том и отбыл...

После излечения, когда опухоли сошли с лица, он решил поговорить с Женькой. К этому моменту в душе его что-то модифицировалось, породило другие ощущения. Нет, он вовсе не разлюбил будущую фрезеровщицу, просто к чувству добавилась болезненность, но не страстная, а, наоборот, спокойная. Так истерзанный до кишок человек готов уже ко всему, к еще большему горю, зная наверняка, что выдержит.

Она сидела на детской площадке, под грибком, и читала книгу под названием «Фреза и ее свойства», когда Колька увидел ее.

Господи, как она была хороша! Он смотрел на нее, не решаясь подойти, любовался издали тонкой шеей и острыми плечами. Еще он увидел, что девушка сегодня не в извечном своем сарафане, а в глухой водолазке синего цвета, обтягивающей девичьи прелести, так что у Кольки опять кадык скользнул к ребрам... Еще он подумал, что именно так выглядят девушки, принявшие для себя очень важное решение...

Женька тоже его увидела. Покраснела и опять уставилась в книгу. Он подошел и сел рядом. Минут десять они молчали, а она не перевернула даже одной книжной страницы.

— Ты никому не сказал? — спросила она, и Кольке показалось, что даже голос у нее изменился. Стал ниже и взрослее.

— Нет, — ответил он.

— Спасибо.

— Он тебя силком?

Женька повернула лицо к Кольке и хмыкнула.

— Когда он вернется из армии, я выйду за него замуж.

По Кольке словно рельсом ударили. Но за последнее время он привык ко всякого рода потрясениям и на лице всего ужаса от ее слов не показал.

— Его, наверное, в морфлот возьмут, — предположил. — Там три года служат!

— Почему в морфлот?

— Ну, он здоровый, и все такое... В общем, моряк!

— Три года — это долго, — согласилась Женька.

— Очень долго! — поддержал Колька.

— Ты друг мне? — спросила она.

«Друг ли он ей?!» — взорвалось в Кольке. «Какой же я тебе друг!» — кричало в нем все его существо.

— Друг, — подтвердил он.

— Пожалуйста, не рассказывай, что на чердаке видел!

— А я ничего не видел.

— Как не видел?

— Зажмурился.

— Ну вот и хорошо.

Женька захлопнула книгу про фрезу, потянулась всем телом вверх, причиняя Кольке нестерпимую боль, к которой уже подмешивалась сладость. А Женька еще подсластила.

— Хороший ты пацан, — сказала. — Будь ты года на три старше, я бы обязательно с тобой гуляла.

— Спасибо.

— Ты здоровье только свое не запускай! — выразила она заботу. — У тебя, наверное, голова слабая. В обмороки падаешь!..

— Не запущу...

Они еще посидели молча, потом Женька хитро заглянула Кольке в глаза и предложила:

— А хочешь, я Надьку попрошу, она мне не откажет! Надька всем дает по моей просьбе!

Колька знал, что речь идет о рыжей пэтэушнице, которую попробовали все старшеклассники, рассказывающие, что у нее даже на ж... веснушки...

— А можно с тобой?

— Что? — не поняла Женька.

— Ну то, что ты с Сашкой делала?

— Ты же не видел!

— Я слышал зато.

Женька вздохнула глубоко и посмотрела на Кольку, как на мелюзгу непонятливую.

— Я же тебе сказала, что замуж выхожу... И потом, ты же малявка!

— Да-да...

— Какой ты все-таки идиот!

— Да-да...

— Ну что, будешь с Надькой? Решай скорее, мне идти пора.

— Буду, — буркнул Колька в ответ — и сам ему испугался.

— Тогда через полчаса на чердаке!

Женька резко встала и пошла прочь. Он смотрел на нее, как она уходит, держа спину нарочито прямо, и казалось ему, что это любовь его уходит навсегда. В душе болело совсем сладко, особенно мармеладно стало, когда он увидел ее в телефонной будке... Ах да, Надька!..

Он опоздал на десять минут. Надька сидела на трубе и бросала чердачным голубям кусочки хлебного мякиша.

— Это тебя от любви лечить надо? — спросила она, не оборачиваясь.

Колька вздрогнул.

— Ага, — просипел.

— Гуль-гуль-гуль! — подзывала рыжая птиц. — Я уж такая профессорша стала... Стольких от любви вылечила!.. А сама, не поверишь, ни разу не болела!

И повернулась.

Колька зажмурился, настолько она была рыжей — прямо выплеснула свой рыжий цвет ему в лицо.

— Дрейфишь?

— Я?! — он сделал на лице пренебрежение.

— Дрейфишь! — поставила точный диагноз Надька. — Ну иди сюда, у меня времени мало, завтра зачет!..

И он пошел на ватных ногах, с горем в груди и солнцем в глазах. А она тем временем сняла через голову платье, аккуратно сложила его и повесила на трубу.

Надька была плоская, как фанера, чуть сутулая, а оттого с выпяченным животом. Она стояла и зевала, почесывая рыжий бок. А он смотрел на это чудо, к которому не хотел быть причастным, и пытался представить на месте Надьки Женьку, но ничего не выходило.

— Трусы снимать? — спросила Надька, засунув в рот кусок белой булки.

— Снимать, — ответил Колька автоматически.

Теперь на него полыхнуло из-под живота солнцем. Ослепило глаза.

«Можно ли быть такой рыжей? — подумал он и сам себе ответил: — Можно».

А у очень рыжих всегда ноги красноватые... Надька, как будто невзначай, повернулась спиной, заманивая пацана, и Колька направился в ее сторону, дабы убедиться, что на ее ж..., как говорили, веснушки растут. Он почти уткнулся в Надькины мослы, когда она вновь повернулась, проехавшись по его носу огненно-рыжими кудрями.

И тут Кольку проняло. Будто сто мужиков в нем проснулись. Хватанул Надьку за бедра, развернул к себе позвонками, перегнул и влетел в ее нутро, словно крот в нору. Глаза его закатились, он побледнел и все приговаривал:

— Женька!..

— Надя я! — вскрикивала рыжая. — Ой!

— Женечка!!!

— Да Надька я!.. Мамочки!!!

А он все повторял имя возлюбленной, но Надьке было уже наплевать, потому что она что-то почувствовала, доселе не чувствованное, и старалась прочувствовать это до конца.

— Женька!!! — заорал в последний раз Колька.

Надька с перекошенным от возбуждения лицом сорвалась, как рыба с крючка, от этого крика — и со всего маха лбом о трубу. Словно колокол зазвонил. Боли она не ощутила, просто терла шишку и говорила Кольке:

— Ну, ты даешь! Мал золотник... — и все такое.

А Колька натянул штаны, сказал «спасибо» и направился к чердачной двери.

— Куда же ты?

— Надо, — грубо ответил он.

— Давай еще раз!

— Да пошла ты!

Спускаясь по лестнице, он услышал, что Надька разрыдалась. Ему было глубоко на это наплевать. Находясь в собственном горе, он не мог сочувствовать другим... Колька сбегал через две ступеньки и ловил себя на мысли, что в душе сделалось гораздо легче и что вовсе незачем было из-за Женьки совать голову в муравейник.

А она, предмет его страсти, все с той же книжкой про фрезу под мышкой, ждала у подъезда и, когда он выскочил, с интересом спросила:

— Ну как?

— Нормалек, — ответил Колька, не останавливаясь.

Пробежал метров двести и почувствовал усталость, ударившую по ногам. Сел под грибок отдохнуть.

А потом увидел, как из подъезда вываливается Надька с блаженной улыбкой на лице и пшеничным полем на голове, будто после урагана.

Она о чем-то говорила Женьке, а та все оглядывалась, отыскивая взглядом Кольку под грибком.

Он сидел и с интересом наблюдал за пертурбациями в своей душе. Любовь к Женьке, словно вода из лопнувшей трубы, со страшной силы утекала.

Он вдруг понял, что вспоминает Надьку и ее рыжую ж... «Надо было остаться еще на раз», — подумал он с сожалением.

А потом Женька направилась в его сторону. А он встал и пошел от нее...

Шагая навстречу летнему ветру, подставляя щеки небесному светилу, он вдруг ощутил во всех членах своих необыкновенную легкость. И что самое главное, душа его расправилась, как наполненный воздухом шарик, и казалось, он взлетит вот-вот, только оттолкнется получше.

Колька улыбался во весь рот, показывая всему миру проход к душе его, белые зубы и нацелованные губы.

Женька отстала, и теперь он знал, что ей не догнать его никогда. И было ему в совершенстве наплевать, что она пользуется фрезой Сашки Загоруйко, которому в армию идти, в морфлот...

Они встречались с Надькой на чердаке почти каждый день, и всегда, когда дело кончалось, Кольке думалось, что это уж точно последний раз, что более никогда он не прикоснется к красноватым ногам и рыжей заднице. К тому же пацаны жаловались, что Надька перестала быть честной давалкой и манкирует своими женскими обязанностями. Но проходила ночь, Колькины подростковые резервуары наполнялись свежестью, которую было необходимо кому-то отдать. А была только Надька!..

Через месяц во дворе построили футбольно-хоккейную коробочку, и районный отдел образования ее торжественно открыл.

Пацаны, пока лето, стали гонять в футбол. Рубились с соседским двором не на жизнь, а на смерть. Переломали столько рук, что Склифу план выполняли на двести. После играли даже загипсованные, так важна была честь двора.

Про Надьку забыли, так как на войне баба лишь помеха, а тем временем в футбол уже играли не за совесть, а сначала на недельные, потом на месячные обеды. Сумма выходила приличная. До дырок ли время!

А Кольке получалось не до всеобщего пацанского дела. Они с Надькой с чердака за футбольными ристалищами наблюдали. Да и то после того, как в кровь оба истирались...

Уже мужики с окрестных дворов сходились, ставки делали на победителя, здесь же и выпивали выигранное.

Созерцая с чердака футбольные схватки, Колька чем-то мучился, сам не сознавая чем. Может быть, из-за того, что пацаны его двора чаще проигрывали, чем выигрывали?..

Надька любила подростка Писарева уже не по-девчачьи, а по-женски, про себя рассчитывая, что они тоже вскоре решат пожениться, как Женька с Сашкой.

— Это кто? — интересовалась Надька, стирая со щеки голубиный помет и показывая на долговязого пацана, все время мазавшего со штрафных.

— Кипа! — отвечал Колька грубо. — Не знаешь, что ли?

— Отсюда не видать!

— А этот в кепке кто?

— Вратарь!

— Кишкин? — удивлялась Надька. — Ему только блох ловить!

— А тебе кой-чего другого ловить!

— Фу!

Вечером, поедая бабкину жареную картошку с котлетами, Колька прослушал по радио песню про Стеньку Разина. Особенно запали в сердце слова: «...нас на бабу променял»!

Доел Колька картошку и, лежа на диване, все повторял:

— И за борт ее бросает в набежавшую волну!

Он на мгновение представил, как Надька летит с крыши, бац об асфальт... Получалось жестоко!..

На следующий день он, как всегда, потратил на нее свои младые силы и с чердака наблюдал принципиальный футбольный матч.

После того как Кипа вновь промазал по воротам, а Кишкин пропустил две безответные бабочки, Колька врагом посмотрел на загорающую Надьку, отметил, что она не покрывается шоколадным загаром, а только краснеет, как рак в кастрюле; испытал прилив ненависти, шлепнул ее по выпуклому животу и сказал, что уходит.

— До завтра! — попрощалась Надька, сделав на лице эротический, в ее понимании, оскал.

— Я навсегда! — прошипел Колька, услышав финальную трель свистка толстого армянина Фасольянца, который хвастал всем, что он был арбитром городской категории, когда в Ереване жил. — Больше не жди! Не приду!

Надька, последними неделями превращенная в женщину, мгновенно учуяла правду в словах любовника, вскочила на ноги и бросилась за Колькой.

— Нет! — кричала она голосом, наполненным страданием. — Нет!!! — И подпрыгивала на раскаленной крыше.

А внизу мужики, выигравшие пол-литру и опустошившие ее наполовину, молча смотрели в небо, на краю которого плясала голая баба, такая огненно-рыжая, что непонятно было, от нее свет исходит или от привычного светила.

— Я умру без тебя! — причитала Надька.

— Умри, — позволял Колька жестоко.

— Брошусь с крыши!

— Вперед!

Она тряслась всем телом, не зная, что еще сказать, а он уже был возле чердачной двери. Надька бросилась вослед, чуть было не растянулась, по-

112

скользнувшись на голубином исходе, и в последнем увещевании пригрозила, что отдастся армянину Фасольянцу, который обещал ей за обладание золотое кольцо. Колька коротко ткнул ей кулаком в нос и хлопнул дверью лифта...

На следующий день он как мужчина превозмог тягу к чердаку и направился прямо к футбольной коробочке. Там уже происходило шевеление — это свои разрабатывали тактику на сегодняшний матч с соседским двором.

Колька втерся в самую кучу, выставив ухо. На него смотрели криво, но он на то не обращал внимания, а ловил для себя новые словечки: сухой лист, щечка, давать пыра и т. д. Еще он понял, что игра сегодня предстоит наипринципиальнейшая, что ставка велика, как никогда, — школьные обеды на весь год или двести рублей деньгами сразу.

— Буду играть! — неожиданно оповестил пацанов Колька.

— Ты?! — удивился вратарь Кишкин, который брал всех на ля-ля, что у него кепка от самого Льва Ивановича: мол, с батей водку пьют, если игры нет!

— Я, — подтвердил Колька.

— А ты когда-нибудь играл в футбол? — поинтересовался долговязый Кипа, выставляя то одну ногу вперед, то другую, показывая всем новые кроссовки «Ботас». Гарцевал, как конь.

— Ну не играл!

— Хочешь, чтобы мы на двести колов залетели? — поинтересовался нападающий Лялин, у которого мама трудилась в солнечном Мозамбике.

— Буду играть, — настаивал Писарев.

Все пацаны понимали, что Дверь друг Мальца, который сейчас чалится на зоне, а это серьезно. Решили молчать.

— Ну так как?

Молчали.

— Надька теперь общая! — предложил Колька. — Национализированная!

Молчали.

Он начинал злиться, но понимал пацанов, не желающих проигрывать из-за какого-то лоха неумелого.

— Проиграем, я все деньги сам заплачу! — предложил.

— Ха, — не выдержал Кипа, подцепил мячик «Ботасом» и почеканил чуток с мыска на колено. — Откуда у тебя бабки такие?

— Не твое дело! — огрызнулся Колька. — Сказал, отдам!

— Выходить будешь только на замену! — решил дело Лялин. — Согласен?

— Согласен.

— А тебя что, — обалдел Кипа, — тебя кто капитаном-то выбирал?

Мячик сорвался с ноги, отскочил от земли и въехал недовольному Кипе по подбородку.

— А капитаном меня выбрала жизнь! — с пафосом ответил Лялин. — Играем в пять, приходи в четыре!

Как только Колька отошел, начался дикий базл, в котором, помимо игроков, принял участие и судья Фасольянц, уверенный, что с Писаревым команда проиграет с двузначным счетом.

— Ты что, в доле участвуешь, дядя Арсен? — поинтересовался Лялин.

— Моя доля, — с надрывом в голосе определился Фасольянц, — это доля человека, покинувшего свою горячо любимую Родину.

— Там тебя, дядя Арсен, Надька ждет! — обернулся Колька. — Кольцо с собою захвати золотое!

Фасольянц хлопнул грустными глазами и помчался куда-то на толстых ногах. Наверное, воровать у своей жены Джульетты драгоценность...

Колька поел жареной картошки, разогрев ее на газу, и лег до игры поспать. Ему не спалось, казалось, что-то мучает, а вот что, понять не мог.

Встал, вытащил из шкафа спортивные трусы, майку и кеды. На майке бабкиным карандашом для ресниц написал «Кипиани». Примерил. Надпись получилась кривой.

«Что же меня так мучает? — думал Колька. — Может быть, игра волнует? Или по-прежнему Женька ноет в душе занозой? Нет... Тогда что?..»

Он ходил по комнате от двери до окна, но ответ не приходил, оставляя тело напряженным, а мозги в смятении. Выглянул в окно. Уже собирались зрители, меж которых ходил Кипа, демонстрируя новые кроссовки.

Пора, подумал. Зашнуровал кеды и поглядел на указательный палец без фаланги. Может, меня мучают фантомные боли?..

Ругнулся грязно, матерно, и, оправив черные трусы с лампасками, вышел за дверь.

— Садись! — скомандовал Лялин, указывая на скамейку с запасными.

Колька рассматривал соседских пацанов, разминающихся сочными ударами по воротам.

Они, пожалуй, постарше будут, прикинул он, но страха не было.

— Ну что, сирые, — проговорил один голенастый. — С голоду теперь сдохнете! — И ударил по воротам.

Мяч пролетел по дуге, но вратарем был парень лет девятнадцати, почти мужик, который с необычайной легкостью сложился, прыгнул и вытащил мяч из девятки.

Прибыл судья Фасольянц, с невероятной красоты бланшем под левым глазом.

— Внимание! — прокричал он, прикрывшись рукой. — Капитаны, ко мне!

С соседской стороны главным был девятнадцатилетний воротчик, а со свойской сразу двое рванули к центру. Ляля и Кипа.

Зрители, мужики с окрестных домов, ржали и выкрикивали всякие похабности.

Между Лялей и Кипой чуть драки не случилось, но Кипа был чуток трусоват, а потому, как он сказал, «для пользы общего дела», отошел в сторону и занял место левого крайнего нападающего.

— Есть у кого монетка? — поинтересовался Фасольянц.

— Ты чего, дядя Арсен, дурак? — ответил Ляля, показывая, что все в трусах.

— Десять процентов с выигрыша мои! — оповестил армянин. — Все в курсах?

— Согласны! — ответили стороны, желая иметь честное судейство.

— Так, есть у кого монета? — заорал Фасольянц, открывая на всеобщее обозрение набрякающий бурмалином синяк. — Или матч отменить?!

— Ты чего разорался? — подошел к дяде Арсену капитан соседских. — Главный, что ли? — И ткнул его незаметно костяшками пальцев в живот.

Фасольянц крякнул.

Из зрительских рядов прилетела трехкопеечная монета и упала на игровое поле.

— Орел, — констатировал Ляля. — Ворота или начало?

— Начало, — выбрал соперник.

Фасольянц свистнул, зрители выдохнули, и игра началась.

Первый гол забили через две секунды после свистка. Разыгрывающий отыграл мяч слегка назад, и голенастый из соседских что было силы пробил.

Кишкин в начале игры хотел было от нервов потихоньку газы стравить возле штанги, но вместо этого вынужден был резко наклониться, чтобы достать забитый мяч из сетки, а потому зад его выстрелил крейсером Авророй.

Зрители загоготали, а Фасольянц указал на центр поля, достав из кармана при этом желтую карточку, предъявляя ее Кишкину.

— За что?! — заорал тот, снимая с головы яшинскую кепку и желая набить морду армяшке.

— За поведение, недостойное пацана нашего двора! — отскочил дядя Арсен в сторону.

— Ну это прям пердуха! — заорали из зрителей.

— Это не футбол, а газовая камера! — поддержали другие.

— С кем не бывает, — заговорил дедуля с орденскими планками на груди. — В двадцать девятом году с литовцами токари товарищеский матч играли, так я, нападающий, от нервной почвы не то что воздух испортил!..

Дедуля обвел взглядом слушающих, довольный привлеченным вниманием.

— Так вот, — продолжил, — живот у меня испортился, так я у литовской штанги кучу целую наложил.

Зрители вновь заржали, честь Кишкина была спасена, Фасольянц свистнул на продолжение, и пацаны побежали.

Колька игру понимал плохо, к тому же рябило в глазах от ног, но майка с надписью «Кипиани» облегала мышцы, которые желали немедленного применения. Он тер кедами землю под скамейкой, а руками хлопал себя по плечам.

Тем временем Кишкину забили второй гол. Вины в том вратарской не было, просто соседи удачно отрезали защиту и вышли двое на одного вратаря.

Когда обладатель яшинской кепки нагнулся за мячом, крутящимся возле сетки, кто-то из зрителей крикнул:

— Смотри, не застрели кого-нибудь! Фугас!

Опять заржали.

Дедуля с орденскими планками решил было под общий юмор поведать еще какую сортирную историю, но на него загыкали и замыкали, чтобы футбол не мешал воспринимать. Старик обиделся и нарочито засунул под язык валидолину.

А потом произошло и вовсе комическое. Вратарь соседских саданул по мячу и забил третий гол, что называется, от ворот до ворот.

— Придурок! — заорал Ляля на Кишкина, в лице которого читалась вина, но так или иначе «придурка» он терпеть был не намерен. Яшинская кепка полетела в сторону, вратарь, уже не стесняясь, пустил газы и бросился на капитана.

Фасольянц попытался было воспрепятствовать драке, но получил от Кишкина удар в уже имеющийся бланш, отчего глаза армянина наполнились слезами. Он бросил свисток на землю и пошел на выход.

Исправил ситуацию Колька. Он успел втереться между Лялей и Кишкиным и заговорил, что они окончательно опозорят двор. При этом слегка получил по уху, тем самым пыл драки поостыл, и Колька, догнав Фасольянца, вернул армянину свисток.

— Прости их, дядя Арсен!

— А Надька, — шепотом поведал судья, — Надька твоя не дала!

— Даже за кольцо?

— Не просто кольцо, а с александритом!

— Фингал тоже она засветила? — поинтересовался Колька, почему-то довольный, что армянину не удалось попользовать рыжую.

Фасольянц потер синяк и пробормотал что-то про жену Джульетту, которая подстерегла его на краже...

Он засвистел в свисток, призывая игроков продолжить матч.

И все понеслось, как по новой!

Кипа разыграл с Лялей двоечку, и мячик закатился в ворота соперников. Пацаны обнимались и целовались, хотя еще несколько минут назад были готовы разорвать друг друга на мелкие шкурки. Зрители от восторга орали, а дедулю с орденскими планками понесли со стадиона, так как у него правда что-то с сердцем случилось.

— Футбольный инфаркт! — прокомментировал кто-то.

А потом правого нападающего соседи сбили, так что тот завопил благим матом, держась за вспухающую на глазах лодыжку.

— Подковали! — кричали мужики.

— С поля!

— А-а-а! — орал подкованный.

— Щитки надо надевать! — сказал воротчик соседских и зло посмотрел вокруг.

Пострадавшего унесли вслед за дедулей, и Фасольянц назначил штрафной.

— Выходи на поле! — кричал Ляля Кольке. — Писарев!

Между тем Кипа разбежался и что было силы воткнул пыра в мячик. Мужики только охнуть успели и глаза скосить к воротам. Второй раз они охнули, когда осознали, что в немыслимом прыжке вратарь дотянулся кончиками пальцев до мяча и отбил его.

Наблюдавшие за зрелищем дружно заулюлюкали и зааплодировали тому, что получилось, как в настоящем футболе.

— Пильгуй! — хвалили.

— Маслаченко!

Через пять минут забили четвертый гол в ворота Кишкина. Теперь уже вся команда наехала на Кольку, который болтался по полю огурцом, мешаясь в ногах, как чужих, так и своих.

— Тебе в балет надо! — сокрушался Кипа.

— Какого хрена! — чернел от злости Ляля.

Колька чувствовал, что виноват, но, как исправить ситуацию, придумать не мог. Копошилось у него что-то в душе, но что именно, разобрать не получалось.

Во втором тайме Кишкину забили еще три мяча против одного Кипы.

Запахло разгромом, и мужики ржали над каждой неудачей Колькиной команды. Особенно обидно было, что девятнадцатилетний воротчик соседских настолько уверовал в мощь своей команды, что частенько оставлял свой пост и оказывался на территории соперника, где водился с мячом, финтил, как хотел, а вдобавок, когда у него все-таки мяч отобрали, нагло, со всего маху, вмазал Кольке по левой ноге, отчего тот рухнул на поле как подкошенный и раскровенил себе нос.

— У-у-у! — завыло зрительское сообщество неодобрительно. — Ответь ему, Кипиани!

Колька был на полторы головы ниже воротчика и, возвестив, что драки не будет, установил мячик на месте нарушения. Почти от самых своих ворот бить намерился.

— Сам пробью! — сказал он тихо и побледнел предобморочно.

Вратарь уже успел вернуться к своим штангам и только лыбился всем.

— Тьфу! — сплюнул Ляля. — Ты ж не добьешь!

— Уйди!

Глаза Кольки закатились, губы вытянулись в ниточку, он отошел от мяча на три шага, потом вернулся на один и, услышав из соседнего мира свисток Фасольянца, ударил по мячу...

После того как мяч по немыслимой траектории влетел в девятку, а воротчик безрезультатно плюхнулся в пыль, еще с минуту над коробочкой висела тишина, словно ночь внезапно наступила, а потом такой могучий рев раздался, что во всех домах округи стекла затряслись.

Человек тридцать выскочило на поле и ну Кольку тискать и подбрасывать, как будто за один его гол, пусть и фантастический, пять дадут!..

Колька славы стеснялся, просил отпустить.

Его аккуратно поставили на землю и погладили правую ногу.

— Золотая! — сказал кто-то.

— Волшебная! — подтвердили сзади...

Лишь девятнадцатилетний воротчик сплюнул под Колькины кеды.

И тут Фасольянц свистнул окончание матча.

— Бабки гоните! — процедил капитан. — Или попадаете на обеды! Весь год ваше жрать будем!..

Ляля и Кипа выразительно посмотрели на Кольку.

— Я сейчас!

Он взбежал по лестнице к своей квартире, нырнул под диван, отклеил из-под ножки лейкопластырь и отсчитал из заначки двести рублей. Оставалось всего двадцать. Когда сбегал обратно, чтобы долг отдать, то вдруг ощутил свое тело и душу легкими. Маета прошла, и он, перепрыгивая через пять ступенек, вылетел на улицу, где его поджидали соседские.

— Мой процент! — взвизгнул Фасольянц.

И Колька без сожаления отдал долг, сунув пачку кому-то из чужих, кивнул на прощание команде и пошел себе в сторону арки.

— Еще раз так сможешь? — услышал он голос.

Обернулся и увидел старика со знакомым лицом. «Из цирка», — подумал.

— Смогу, — уверенно ответил Колька.

— Тогда поехали.

За аркой стояла черная «Волга» с нагретыми кожаными сиденьями и коротко стриженным водителем. Старик открыл перед пацаном заднюю дверь, а сам уселся вперед.

Автомобиль отпарковался и плавно поехал по бульварам. За всю дорогу старик со знакомым лицом не проронил и слова единого, а когда подъехали к «Лужникам», показал милиционерам удостоверение, и их пропустили. Доехали почти до самого поля.

— Пошли, — позвал старик, и Колька ступил на лужниковскую траву.

По полю бегали футболисты, и на всех была форма фирмы «Адидас».

А грудь Кольки обтягивала материя «Москвашвея» с надписью «Кипиани», на ногах болтались кеды за четыре рубля.

Никто на подростка не обращал внимания. Они со стариком прошли через все поле, туда, где в одиночестве разминался худой высокий парень.

— А ну, Ринат, — негромко попросил старик, — встань в ворота!

Тот безо всяких возражений уперся пятками о вратарскую ленточку и натянул перчатки получше.

Старик поставил мяч на одиннадцатиметровую отметку и спросил:

— Не далеко?

Колька пожал плечами:

— Можно дальше.

Взял мяч, отнес его метров на двадцать дальше и поставил на траву.

Ринат засмеялся и встал расслабленно.

— А ты не смейся! — проговорил старик рассерженно. — Давай, пацан!..

4.

Роджер Костаки прошел в гримерную, где уже сидел переодетый в концертное ударник Бен.

Поздоровались.

— Ты слышал, — выдал новость Бен, — сегодня еще и третье отделение будет.

— Как третье? — удивился Роджер, раскрывая портфель и вынимая из него полиэтиленовые мешки. — Мало нам литовцев?

— Русский посол на концерте будет присутствовать и Его Высочество принц Чарльз! — Ударник зашнуровал лаковый ботинок и подошел к зеркалу. — Шостаковича будем играть! Мы все же королевский оркестр.

Роджер злился, что из его жизни без предупреждения Миша отнял сорок пять минут. Не Чарли же попросил... Доставая из мешка немнущиеся брюки, оставшиеся в наследство от дяди, он подумал, что очень удобно иметь такую одежду, не требующую особого ухода. Можно весь гардероб и многое другое уместить в один портфель. Рубашка нейлоновая и прорезиненные ботинки. Бабочка тоже антикварная, подарена матерью.

— У тебя сегодня выпускной экзамен! — сказала когда-то очень давно его мать. — Хочу подарить тебе эту милую вещицу! Я приобрела ее в музыкальном антикварном магазине. Говорят, она когда-то украшала шею самого сэра Перкинса!

Кто такой сэр Перкинс, Роджер до сих пор не знал. Ему было плевать, кто такой сэр Перкинс.

Брюки лоснились как зеркальные, а нейлоновая рубашка была столь немодной, что, наоборот, казалась оригинальной вещью, специально выбранной музыкантом.

Особенными были ботинки. Из зала сидящим казалось, что это великолепные концертные экземпляры ручной работы, со шнурками по пять фунтов за пару. На самом деле обувь Роджер приобрел на распродаже в доме какого-то покойника за два фунта. Он был в восторге от того, что ботинки не надо чистить, можно просто протереть мокрой тряпкой, чтоб они блестели в пандан брюкам.

Мысль скакнула.

«Все-таки какая скотина этот Миша», — злился Костаки.

Роджер полагал, что Шостакович был выбран не случайно, а чтобы разозлить мастера игры на треугольнике.

«Все равно сыграю стаккато, — решил он. — Не может там произойти легато! Неужели русский не слышит этого? Казалось бы, соотечественник композитора, острый слух, а такой очевидности не восприемлет!»

— У тебя потрясающая бабочка! — скосил глаза Бен, повязывая свою.

— Спасибо, — поблагодарил Костаки и расправил на шее резинку.

Бен хвалил бабочку Роджера перед каждым концертом, и мастер игры на треугольнике иногда задумывался, не издевка ли эти похвалы? Но поскольку на мнение Бена, да и на него, как на человека, мистеру Костаки было начхать, он всегда был вежлив, как более умный с менее.

— У вас хороший вкус, Бен! — поддерживал беседу Роджер. — Эта бабочка принадлежала когда-то сэру Перкинсу!

Бен также ни сном ни духом не ведал про сэра Перкинса, но ему льстили слова Роджера про «вкус». Вероятно, он действительно был не слишком умным человеком.

О Роджере же ударник думал, что человек этот по меньшей мере странен. Богат, как говорили, а ходит в одежде, похоже, приобретенной у старьевщика. Играет, надо сказать, не первую роль в оркестре, даже не третья скрипка, но независим в общении с Мишей, а в Шостаковиче и вовсе не слушает указаний маэстро и не следует авторской партитуре. Дирижера это злит, но он еще терпит Костаки, вероятно, пока не слишком обжился в коллективе, чтобы увольнять кого-либо. И здесь надо отметить, что сам Роджер является уникальным музыкантом, хоть и играет на треугольнике. Наверное, и по этой причине его выходки терпит Миша... С женщинами Роджер не имеет дела, хотя не женат.

Однажды Бен видел его с одной, безобразно некрасивой, но Роджер заявил, что того не могло быть, ударник обязательно обознался. При этом физиономия Костаки походила на несвежий помидор... Раз покраснел, решил Бен, значит, врет!

Он неоднократно звал товарища провести вечерок с приятельницами, не слишком обременяющими себя чистотой нравов, но Роджер всякий раз отказывался, причем с такой агрессией в голосе, что Бену пришлось подумать о нетрадиционных его увлечениях. Ударник даже намекнул альтисту, сладкому мальчугану, что мистер Костаки из голубого племени, отчего альтист зарделся, но не оттого, что принадлежал к сексуальным меньшинствам, а оттого, *как ему дали понять*, что знают об этом. *Грубятина!* Тем не менее, юноша из хорошей семьи, он выслушал о проблемах Роджера и после вечерней репетиции пригласил Костаки в ночной клуб, где собирались истинно добропорядочные люди...

— Он не гомосексуалист! — поставил диагноз альтист на следующей репетиции.

— Как вы выяснили это? — поинтересовался ударник.

— Очень просто. Когда мистер Костаки увидел танцующих мужчин, как это вам сказать, в обнимку, его вырвало прямо на софиты. Мне очень долго пришлось объяснять руководству клуба, что новый член съел за ужином несвежих устриц, отчего и случилось несварение желудка. Кстати, он не такой пожилой, как я думал, — продолжил молодой человек. — На входе нужно было показать паспорт. Ему тридцать лет всего.

— Хм... — задумался ударник. — Мне тоже казалось, что ему за сорок...

Сам Роджер вспоминал этот поход в скопище извращенцев, как турпоездку в Содом и Гоморру. Особенно его проняли до кишок юноши-стриптизеры в крошечных трусиках на огромных причинных местах. Они бесконечно рукоблудили, отчего, собственно, его и стошнило выпитой «Маргаритой». Еще Роджеру запомнился специфический запах мужчины, смешанный с женской парфюмерией.

Когда бы он ни вспоминал потом этот запах, всегда чувствовал рвотные позывы.

— Могу я не общаться более с вами? — поинтересовался в антракте следующей репетиции Роджер у альтиста и щелкнул ногтем по треугольнику.

Молодой человек находился в расстроенных чувствах, пытался объяснить, что различные формы сексуальных контактов естественны в сегодняшнем мире, и много чего еще в защиту многообразия говорил.

— Я все понимаю, — кивал головой Костаки. — Но из меня пища извергается! Если глаз видит, да желудок не приемлет, то, по моему разумению, это неправильно! Не общайтесь больше со мною! Вы пахнете «Шанелью № 5»!..

Ударник извинился перед альтистом, представляя Роджера талантливым музыкантом, но с большими странностями в повседневной жизни.

— Подумаешь, по треугольнику колошматить! — вышел из себя молодой человек, дипломант конкурса Чайковского. — А от него самым настоящим потом разит! И не «Шанелью» от меня пахнет, а...

— Здесь вы не правы! — обиделся за своего приятеля Бен. — Мистеру Костаки предлагали играть у себя все ведущие оркестры Европы. И контракт у него не как у обычного для такого места музыканта, а минимум втрое больше!.. Про пот же вы правильно заметили, но мало ли какого у него здоровья железы внутренней секреции? Мы же не знаем!..

Роджер закончил одеваться к концерту. Бен хотел было ему сказать, что белые носки не слишком гармонируют с черными брюками и такого же цвета ботинками, но ударник решил не лезть куда его не просят, а потому приготовил барабанные палочки в двух комплектах, засунув их в специальные отделения на внутренней стороне пиджака.

— Готов! — сообщил. — Пойду покурю!

— Курите здесь, — предложил Костаки, но Бен отказался, зная, что сосед по гримерной не выносит запаха табачного дыма.

Роджер вытащил из портфеля пояс, на котором были укреплены несколько замшевых чехлов, которые, в свою очередь, имели по шесть отделений и содержали различные по толщине и высоте ударные палочки, надел его, сделал пару наклонов влево и вправо. Ничего талии не мешало... Последним, что он выудил из портфеля, была маленькая серебряная коробочка, в которой лежали какие-то пилюли и крошечные сосательные конфетки. Пилюли он не тронул, но взял леденец и засунул его за щеку. Положил коробочку на место. Можно идти...

Он вышел из гримерной и направился к сцене, по дороге вспоминая, как купил серебряную коробочку в антикварном магазине. Его прельстили инициалы на крышке — К.К. — и цена в одну тысячу фунтов. Вначале ему показалось — сто, но смуглокожий продавец расправил ценник, виновато пожимая плечами.

— Одна тысяча семьсот двадцать пятый год!

— Что? — не понял Роджер.

— Видите, клеймо стоит? — И поднес лупу к обратной стороне крышки.

Костаки разглядел какой-то знак и тотчас увидел его в каталоге, величиною с шиллинг. Против клейма стоял год соответствия.

— Покупаю, — согласился Роджер и протянул кредитную карту.

Продавец готовил слип и продолжал нахваливать уже проданную коробку.

— Замечательная вещица! Сам бы себе приобрел, но вот инициалы не мои! Кстати, — обернулся антиквар, — вам они подходят?

Роджер кивнул.

— Роберт? Рональд? Родрррригес? — сымитировал испанскую «эр» довольный хозяин.

— Вы индус? — внезапно поинтересовался Роджер.

— Да, — удивился вопросу продавец.

— Вероятно, вы уже в третьем поколении живете в Лондоне?

— В четвертом, — с гордостью сообщил антиквар, заворачивая коробочку в тонкую бумагу.

— Бывали на родине?

— У меня там прабабушка! Ей сто девять лет!

Роджер сунул коробочку в карман.

— Странно, в вашем магазине нет ни одной вещи из Индии.

— Плохие продажи.

— Колониальный индус торгует на моей родине вещами моих же предков! Удивительно!

— Что такое? — вдруг почернел лицом продавец. — Расизм?!

— Да что вы, — махнул рукой Роджер. — Я просто представил себя где-нибудь в Кашмире, торгующим индийским антиквариатом. А в это время у меня в каком-нибудь Йоркшире бабушка бы жила ста девяти лет!.. Дикость какая-то...

— Я могу сделать возврат, — зло предложил индус.

— Я **купил** эту вещь, она мне нравится!

Костаки потрогал карман с покупкой и на прощание сказал:

— Индусы — самая загадочная нация. Ваша религия поистине величайшая из великих!.. Индуистом можно быть только по рождению, принять же индуизм в зрелом возрасте невозможно!.. Эти погребальные костры, развеивание пепла над великим Гангом... А ниже по ручью мылят свои тела женщины в цветастых сари, омываемые пеплом своих предков. Какая преемственность! Какая глубина!..

— Убирайтесь! — прошипел индус.

— Вы меня не поняли! — воскликнул Роджер. — Извините, если в моих интонациях проскользнуло что-то обидное для вас! — Он протянул продавцу руку. — Роджер Костаки!

Продавец все еще подозрительно смотрел на странного типа в залоснившихся штанах, потратившего запросто тысячу фунтов и очень двойственно разглагольствующего о его родине.

— Я был много раз в Индии! Я люблю вашу страну! Ну же! — Странный тип почти ткнул в продавца протянутой ладонью.

Индус с видимой неохотой пожал Роджеру руку, найдя ладонь влажной и неприятной.

— Мушараф.

Роджер улыбнулся, достал из внутреннего кармана пиджака конверт и протянул новому знакомому.

— Я играю в Лондонском королевском симфоническом оркестре. Это билеты. Приходите завтра! — И вышел вон.

Мушараф еще долго смотрел то сквозь витрину, вслед странному покупателю, то на билеты Лондонского симфонического. В таком недоуменном состоянии он не находился еще никогда...

Возле прохода на сцену собрались все участники концерта. Кто-то сквозь кулисы, отодвинув их слегка, рассматривал публику — это молодые глазели на Чарли, — а оркестранты постарше знали, что сегодня, впрочем, как и всегда, аншлаг, да и принца видели не единожды.

Появился Миша.

— Здравствуйте! — приветствовал он всех тихо. — Пошли!

На сцене появилась первая скрипка, и раздались аплодисменты. За первой скрипкой потянулись и остальные, занимая в оркестре свои места.

Роджер выходил одним из последних, зато его

стул располагался прямо на авансцене, возле правой кулисы.

— Шостакович в третьем! — услышал он за спиной картавый голос. — Лега-то-о-о!

Костаки даже шеей не двинул, прошел к своей кулисе, сел на стул и еще раз проверил пояс.

И конечно, слегка подвесив паузу после выхода последнего музыканта, явился на сцену Миша. В черном безупречном смокинге, в тонких золотых очках, он поклонился публике, с креном на правую сторону, выпрямился и пригладил волосы.

Уже кричали «браво», а Миша стоял у кромки сцены и глядел сквозь стекла очков на принца Чарльза, не обращая внимания на русского посла вовсе.

Он вернулся к оркестру, взял с пюпитра палочку и показал на всеобщее приветствие. Оркестр поднялся и получил от зала авансом энергию аплодисментов.

Роджер ненавидел всякого рода эксперименты в искусстве. Литовский балет он лицезрел на репетиции и считал, что лучше бы малайцы занялись конструированием автомобилей, чем литовцы балетом. Особенно Роджера потрясла Джульетта — девица малого роста, с тяжелым задом, пригодным для народных танцев, но никак не гармонирующим с образом юной шекспировской героини. Про Ромео и говорить было нечего! У юноши ноги были короче тела вдвое!.. Вырождение!.. «Что это за страна такая — Литва? — думал Роджер, открывая партитуру. — Вражеская!.. Враждебная искусству...»

Он вытащил ударную палочку из замшевого чехла и поелозил по ней пальцами, ощущая телесную радость. Тридцать процентов платины, тридцать серебра, а остальные сорок сложного сплава... Бережно положил ее на пюпитр. Открыл остальные чехлы, щелкнув кнопками, и пробежался по головкам палочек подушечками пальцев, проверяя их готовность к сегодняшнему концерту. Словно уже сыграл на самих палочках, прикосновениями одними.

Миша вздернул почти лысую голову, взмахнул руками, и по сцене забегали и запрыгали гоблины с гремлинами, вытанцовывая Шекспира под Прокофьева.

«А-а-а, — догадался Костаки. — Пародия! Музыкальная шутка! Но почему наш оркестр?»

Он слегка дотронулся палочкой до треугольника, ловя сердцем произошедший звук. Пение металла было столь чудесным, что Роджеру стало наплевать на низкозадых балерунов в средневековых костюмах. Все его тело наслаждалось чистым звуком. Он ловким движением засунул палочку обратно в чехол и так же ловко выудил другую, ударив по треугольнику трижды.

Он попал точно куда было ему же и нужно. В верхнюю часть треугольника справа, литиевую со сплавом ванадия, в нижнюю — платина с титаном, и вновь в верхнюю справа.

Роджер почувствовал подступы экстаза. Напряглись стопы ног, и из обеих подмышек потекли струйки.

Он вновь сменил палочку на очень толстую. Жирнушка — называл ее про себя. Она давала звук необычайной глубины, и Роджер был уверен, что Жирнушка своим голосом могла бы достичь уха какого-нибудь чудовища на дне океанской впадины.

Ударил ею слегка наискосок, по различным сплавам, и застонал про себя...

Наступили двадцать пять тактов паузы, и Роджер поглядел на альтиста, который даже искоса не посматривал на литовских юношей.

Видно, совсем дело плохо, если альтист не интересуется. Видно, совсем никудышные артистики!..

Надо было Мушарафа позвать сегодня. Мнение его послушать!

Пауза кончилась, и Роджер со всей затаенной страстью принялся солировать. При этом он использовал до шестнадцати палочек, меняя их так ловко, что любой фокусник мог бы позавидовать... Выдергивал из чехлов! Засовывал обратно!.. Нейлон вокруг подмышек пропитался большими темными кругами... Все в душе пело, все в теле подпевало душе, в мозгу вспыхивали крошечные молнии, сладко туманя рассудок... И...

Вновь наступило тридцать два такта паузы.

Почему-то Роджер вспомнил себя в церкви, наверное потому, что на сцене танцор-священник появился...

Он исповедовался впервые, хотя ему уже исполнилось одиннадцать лет. Мать привела его в храм и указала место, куда надо идти.

— Вон, видишь, кабинка! — указала она в глубину.

«Похоже на биотуалет», — подумал Роджер и смело направился к исповедальне.

За шторкой пахло старым деревом и ладаном. Было темно, и Роджер различил слабый отблеск света лишь на стенке исповедальни. Окошечко... Сделано то ли из сетки, то ли плетение какое... И к нему ухо огромное приставлено. Как у обезьяны.

Маленький Костаки встал коленками на сиденье и дунул в ухо что было силы. Ухо мгновенно исчезло. Зато появился глаз, старающийся рассмотреть в темноте источник хулиганства. В глаз Роджер дуть не стал.

— Меня зовут Роджер! — представился он.

— Зачем ты дунул мне в ухо? — поинтересовался голос из окошечка. — Это богопротивное дело!

— Я не смог противиться соблазну, — честно признался мальчик.

— Соблазн погубит твою душу. — Голос произнес эту фразу печально и фальшиво.

— Увидеть Господа тоже соблазн. Но этот соблазн не станет причиной моего низвержения в ад!

— Вот что, милая девочка!..

— Я — не девочка. Я мальчик. Меня зовут Роджер, — напомнил Костаки. — И я пришел исповедоваться.

— Так делай то, зачем явился! — поторопил голос сердито.

— Я в первый раз.

— Не волнуйся, — смягчился голос. — Я тебе помогу.

— Я не волнуюсь.

— Ты своенравный ребенок!

— Что такое — своенравный? — поинтересовался Роджер.

Голос не ответил на этот вопрос, зато задал другой:

— Ты знаешь, как исповедоваться?

— Мама мне рассказывала.

— Можешь начинать.

— С чего?

— С чего хочешь. И с самого плохого можно начать, и постепенно к этому самому плохому подходить!

— Хорошо... — Роджер задумался, перебирая в голове плохое.

— Ты здесь, мальчик?

— Я вспоминаю о своих грехах. Вы мне мешаете!

— Вспоминать надо дома, а здесь исповедоваться и каяться в них! Понял?

— Понял.

— Начинай!

— А можно здесь включить свет?

— Зачем? — удивился голос.

— Я хочу посмотреть на ваше ухо.

— Здесь нет света. А ухо у меня такое же, как у тебя.

— В три раза больше, — не согласился Роджер. — Оно у вас волосатое?

— Не слишком.

— Как мне без света знать, ухо ли дьявола это или ухо священника? Я же не могу каяться перед сатаной.

На той стороне подумали и приняли решение.

— Высунь голову наружу.

Лизбет увидела, как вдруг из исповедальни показалась голова сына, навстречу ей вынырнуло чело святого отца, и через мгновение оба исчезли в исповедальне вновь.

— Как тебе? — поинтересовался голос, который теперь имел черные глаза с мешками под ними, одутловатые щеки и бороду клинышком. — Из-за тебя нарушил таинство!

— Хорошо, что вы не красавец!

— ...

— А то я бы подумал, что под красотой личина дьявольская скрывается!

— Хватит болтать пустяки! Начинай с самого плохого!.. Между прочим, у тебя вся физиономия в прыщах!.. Начинай же!

— Хорошо, — согласился мальчик. — Когда я смотрю на материнское лицо, мне всегда кажется, что я вижу ее задницу!

— Ты — хулиган! Я сейчас возьму тебя за твое маленькое ухо и выведу из церкви!

— В самом деле, святой отец! Это самый большой мой грех! Я и не думал хулиганить на исповеди!

На сей раз молчали на той стороне.

— Любишь ли ты свою мать? — спросил священник.

— Да, — признался Роджер, довольный, что исповедь потекла через вопросы и ответы. — Но иногда мне кажется, что не очень. Особенно когда я смотрю на ее лицо и вижу задницу.

— Прекрати! — рявкнул священник. — Мать — самое святое, что есть у человека!

— Значит, — сделал вывод Роджер. — когда мать умирает, человек остается без святого?

— Остается память святая.

— Понял.

— Убивал ли ты когда-нибудь тварь какую, случайно или нарочно?

— Собираюсь, — честно признался мальчик.

За сеткой поперхнулись.

— Что такое? Ах ты, негодник!.. — затряслась кабинка.

— Вам правду говорить или врать? Вы так тратите свою нервную систему!

— Отвечай, кого ты собираешься убить?

— Всего лишь ящерицу. Я купил ее за три фунта в зоомагазине.

— Зачем?

— Затем, чтобы убить.

— Я не спрашиваю, зачем ты ее купил, — все более впадал в раздражение священник. — Я спрашиваю, зачем ты хочешь убить беззащитное создание?!

— Я хочу поглядеть на тот миг, — честно признался Роджер. — Уловить его, когда она наступит, смерть!..

— Зачем?

— Чтобы понять, как будет со мною в миг моей смерти.

— Ты боишься смерти?

— Да.

— Значит, недостаточно веруешь в Господа.

— Недостаточно, — признался Роджер. — Но я хочу верить достаточно, чтобы не бояться этого мгновения.

— Молись!

— Молюсь.

За стенкой опять возникла пауза, затем священник попросил Роджера выглянуть из исповедальни. Они вновь встретились головами и посмотрели друг на друга. Священник пытался определить меру искренности в глазах прыщавого мальчишки, а Роджер старался ему показать, что искренен вполне.

— О'кей! — закончил экзамен святой отец и исчез за шторкой.

Вернулся к окошку и Роджер. Прежде он на секунду встретился с глазами матери и подумал, что она виновата в его грехе, так как если бы у нее отсутствовало лицо, то оно бы не напоминало ему место, на котором сидят.

— Надеюсь, после нашего с тобой разговора ты не убьешь ящерицу? — выразил надежду священник.

— Я не нашел в ваших словах логического объяснения, почему мне не стоит этого делать.

— Не делай хотя бы на всякий случай, — предложил священник. — Допусти, что ты не сомневаешься в том, что Господь существует. А убийство всякой твари есть грех!

— Как же мне быть? Как удовлетворить свое любопытство?

— В жизни ты увидишь много смертей, но любопытства тебе не удовлетворить никогда!

— Почему? — удивился Роджер.

— Так же, как наесться навсегда нельзя, так и в смерти чужой для себя что-то понять. Когда сам умирать станешь, вот тогда истина откроется.

— А если Бога нет?

— Бог есть! Не веришь мне, спроси у мамы.

— Да я, в общем-то, мало кому верю, — признался Роджер. — Маме тоже.

— Это плохо.

Священник выбрался из своей части исповедальни и вошел к Роджеру. Сел рядом, обняв мальчика за плечи. При этом он почувствовал, как плечи ребенка напряглись, а позвоночник выпрямился.

— Меня зовут отец Себастиан, — сказал святой отец и повторил: — Это плохо...

— Почему? — прошептал Роджер. Голос его куда-то ушел, и хотелось кашлять.

— Потому что по вере человеческой дается.

— Вы кушали сегодня за обедом чеснок?— неожиданно поинтересовался Роджер.

— Да, — священник дернулся и убрал с плеча мальчика руку. — Чувствовал подступающую простуду и покушал с хлебом чеснока.

— Неудачная мысль перед тем как исповедовать, отец Себастиан! Фу, как пахнет! И ящерицу я, пожалуй, убью! Думаю, Господь простит мне тягу к познанию его таинств. И все же, как дурно пахнет!

Священник взял Роджера за ухо и что есть силы потянул за него, скручивая то влево, то вправо.

Мальчик на удивление был покорен. Не вырывался, не выказывал признаков боли. В темноте его гла-

139

за лишь поблескивали, и священнику показалась, что пробирается взгляд ему в самую душу, что-то портя в ней изрядно.

Он выволок Роджера из исповедальни и потащил к выходу, где ждала Лизбет.

Мать же, увидев, как расправляются с ее сыном, рванулась навстречу, ударяясь тяжелым задом о церковные скамейки.

Ее рука схватила бледную кисть священника и сжала ее накрепко.

— Отпустите его! — попросила Лизбет.

— Ваш сын — мерзопакостник! — вскричал служитель церкви.

— Молчите, отец Себастиан! — И сжала руку еще сильнее. — Сохраняйте тайну исповеди даже для меня!

«Какие у нее сильные пальцы», — подумал священник и отпустил ухо Роджера.

— Спасибо, — поблагодарила Лизбет.

Роджер тер налитое кровью ухо и с удивлением смотрел на священника.

— Через десять лет, — предупредил мальчик, — или еще раньше, я приду в вашу церковь и откручу вам ухо. Мне мама читала из Библии, что ухо за ухо!

— Так нельзя, Роджер! — успела сказать Лизбет.

— Вон отсюда! — взревел святой отец.

Отец Себастиан трясся от злости, но вместе с тем тщился эту злобу обуздать, так как гнев его был вызван недостойным посылом гадкого мальчишки и ввергал его самого во грех.

— Ступай, Роджер, — указала на дверь мать, и сын небыстро пошел, оглядываясь и сверкая глазами.

— Дрянной мальчишка!

— Это мой сын, и вы не смеете так о нем отзываться!

— Чтобы я так о нем не отзывался, воспитывайте его, пожалуйста, как положено! — высокомерно напутствовал священник и вдруг поймал себя на том, что видит вместо лица женщины непристойное место. Он перекрестился, и черты лица тотчас вернулись. — Или отведите его к другому священнику!

— Я содержу ваш приход, — как бы невзначай обронила Лизбет.

— Мне готовиться к отзыву?

Лизбет покраснела. Она посчитала, что поступила крайне дурно, обнаружив себя жертвователем.

— Извините, святой отец! Тяжелый день!

Лизбет протянула руку, и священник пожал холодные пальцы. Она наклонилась и поцеловала тыльную сторону его ладони.

— Вы бываете на исповеди? — поинтересовался отец Себастиан в дверях церкви.

— Раз в месяц.

— Не помню вашего голоса.

— Я не здесь бываю, а в церкви Святого Патрика.

— Приходите ко мне.

— Как-нибудь...

И она пошла к сыну, который демонстративно стоял спиной к церкви и что-то чертил мыском ботинка на земле.

Священник оглядел неуклюжую фигуру Лизбет и вдруг на мгновение испугался, что увидит вместо того, что находится ниже спины, лицо. Он еще раз перекрестился и вернулся в храм, дабы исповедовать истинно жаждущих.

Лизбет не говорила с сыном о конфликте на исповеди, а Роджер тем более не имел никакого интереса делиться чем бы то ни было с матерью. Он шел рядом с ней к дому и представлял, что станет делать с ящерицей.

— Будешь есть? — поинтересовалась она.

— Нет, — ответил он и спросил, почему мать содержит церковь, а дом получше не купит.

— Чем плох наш дом?

Роджер пожал плечами.

— Есть же лучше...

— Хорошо, я подумаю над твоим предложением.

— Да нет, я просто. Мне нравится наш дом. Но прежде чем пересылать в церковь чеки, необходимо узнать, кто их получает.

— Что ты имеешь в виду? — поинтересовалась Лизбет, наливая себе из пакета молока.

— У него уши волосатые.

— Я этого не заметила.

— Волосы бывают незаметными, — сказал мальчик и задумался об остром складном швейцарском ноже. — Нет у человека на ушах волос, а на самом деле они волосатые!..

— А что из того, что уши волосатые? — задала вопрос Лизбет и выпила из большого стакана молоко до дна.

Роджер потерял интерес к разговору, ушел в себя и думал о хитрых процедурах, которые ему предстояло провести.

Лизбет не требовала ответа на свой вопрос, так как знала такие отсутствующие состояния сына — «я здесь, но меня нет». Его можно было огреть сковородой по голове, результат был бы тем же.

Он поразмышлял еще немного, а потом ушел в свою часть дома, в которую Лизбет старалась без особой нужды не входить. Она считала, что мальчик имеет право на частную жизнь, хоть ему исполнилось всего одиннадцать лет.

В мужской части дома, как называл ее Роджер, насчитывалось семь комнат и большая гостиная.

Большинство комнат были пустыми, лишь в одной обосновался мальчик, обустроившись по собственному разумению. Из мебели в комнате помещались только кровать с пружинным матрацем, тумбочка и письменный стол со множеством выдвижных ящичков.

— Бюро, — называла его Лизбет.

В одном из таких ящичков и сохранялся складной швейцарский нож. Роджер живо отыскал его и полюбовался на увесистый предмет со множеством лезвий и других приспособлений. Положил его в карман и направился к окну: там, на подоконнике, был установлен прямоугольный аквариум с единственным пресмыкающимся жителем — ящерицей.

Некоторое время мальчик следил за жизнью трехфунтового создания. Ему нравилось, как ящерка застывает на дубовой веточке, словно не живая вовсе, а сделанная из камня. Лапку поднимет и застывает.

«Пора», — решил Роджер, подумал о Боге, о святом отце и своем намерении.

Сунул руку в аквариум и раскрыл ладонь.

— Иди сюда, — попросил он, и ящерица тотчас сбежала по веточке во влажную ладонь. Она была, пожалуй, единственным существом, которому нравилась влага человеческой руки. Она лежала вдоль линии жизни Роджера и чуть вздергивала хвостом.

Пора.

Он некрепко сжал ладонь и вытащил из кармана ножик. Ступил поближе к свету, с трудом вытащил самое большое лезвие, действуя с помощью зубов, так как вторая рука была занята. Отложил ножик и, открыв ладонь, поместил пресмыкающееся на мрамор подоконника, слегка придавливая тельце, чтобы ящерица не сбежала.

Пора.

Ящерица под тяжестью пальцев сглотнула.

Он взял нож и поднес лезвие к предполагаемой шее ящерицы. Лезвие блестело, а шкурка зверюшки переливалась всеми цветами радуги.

Роджер, вспомнив, как мать обычно отрезает голову сонному карпу, склонился над самой ящерицей, касаясь ее спины почти носом, и резанул...

Он ожидал увидеть струйку крови, но лезвие никак не повредило ящерице, вошло тупо, как в поролон.

Роджер был слегка обескуражен. Хваленая швейцарская сталь! Дедовская вещь!.. Но потом он подумал, что по неумелости приложил недостаточно усилия и потому не добился результата.

Ящерица вновь сглотнула.

Мальчик что было силы надавил на лезвие, так что оно почувствовало твердость мраморного подоконника, но желаемого вновь не произошло. Ящерица по-прежнему оставалась жива, лишь крохотный надрез самую малость повредил ее шкурку.

— Роджер! — услышал он голос матери.

— Сейчас! — отозвался.

— Иди поешь! Обед на столе!

«Сказал же ей — не хочу», — разозлился мальчик на мать, и вдруг рука с ножом, используя эту самую постороннюю злость, стала полосовать ящерицу по шее с такой истовостью, что через мгновение голова пресмыкающегося отскочила от тела и отлетела к самой фрамуге, пачкая оконный мрамор кровью.

Он смотрел, напрягая до боли глаза, но ничего, кроме подергивающегося хвоста, не видел. Держал в руке отрезанную голову и смотрел в ее остекленевшие бусинки.

Почему-то ему захотелось назвать замученную ящерицу Мартой.

Роджер уложил мертвое тельце в коробочку из-под скрепок и направился в столовую.

— У тебя кровь! — вскрикнула Лизбет.

— Где?

— На щеке, — ответила мать и бросилась к сыну. Он увернулся и отерся рукавом рубашки.

— Не моя.

— А чья?

— Да так...

Есть он не стал, а, прихватив телефонную книгу, удалился в свои апартаменты, где отыскал на букву «Т» слово «таксидермист». Набрал номер, и после нескольких гудков ему ответил женский голос, назвавший имя фирмы.

— Могу я заказать чучело Марты? — поинтересовался Роджер.

— Какого животного? — не поняла секретарша.

— Это не животное. Это ящерица. Ее зовут Марта.

— Сколько дюймов?

Мальчик задумался.

— Примерно четыре.

— Можете, — ответил женский голос. — Это будет стоить что-то около двухсот фунтов.

«Интересно, — подумал Роджер. — Жизнь ящерицы стоит всего три фунта, когда как оформление ее смерти целых двести».

— Я согласен, — ответил мальчик. — Зайду после обеда.

Он вышел в столовую, где немного поел остывшего супа с рыбьей головой, и вдруг, когда до дна тарелки осталось всего лишь ложкой черпануть, Роджер заплакал.

Из глаз его текли целые ручьи, а губы шептали: «Марта! Моя милая Марта!..»

Таким, мокрым от слез, с раскрасневшимся лицом, его застала мать. Лизбет была ошеломлена, так как не видела сына плачущим с семи лет. Она даже немного испугалась, но, взяв себя в руки немедленно, спросила Роджера, что случилось.

Он не ответил, а, захлебываясь и заикаясь, проговорил свой вопрос:

— Правда ли, что ад находится вне человеческого мозга?

— Я тебе уже не кажусь такой ужасной? — улыбнулась Лизбет и попыталась погладить сына по голове.

Он отстранился и, все еще роняя в тарелку слезы, смотрел на свою родительницу тем взглядом, который требовал ответа, по крайней мере серьезного, никак не шутливого.

— Церковь говорит, что ад предназначен для человеческой души, а не для мозга! — Лизбет перестала улыбаться, и Роджер вдруг опять углядел вместо материнского лица говорящие ягодицы. — Насколько человек грешен, насколько его душой завладел дьявол, решает Господь. Только в его власти определить душу в рай или в ад...

— У меня тоже есть душа?

— У каждого есть душа.

— Даже... — Роджер утер последнюю слезу. — Даже у ящерицы Марты?

— Ты ее убил? — Лизбет вздрогнула, перед ней пролетели картины детства... Она смотрела на пятнышко крови, расплывшееся по рубашке сына.

— Да, — признался мальчик.

— У животных нет души. Но убийство маленькой ящерицы тоже грех, так как человеческая душа призвана сострадать, особенно беззащитным.

— Дура! — вдруг выкрикнул Роджер. — У нас в

школе преподают Дарвина. Никаких там душ нет! — Мальчик злился на то, что распустил себя и плакал перед матерью. — Есть только естественный отбор! Бога нет!!!

Это был единственный раз, когда Лизбет ударила сына. Зато это была оплеуха, стоящая ста других. Материнская ладонь попала сыну по уху, от того лопнула барабанная перепонка, и из головы, через ушную раковину, потекла кровь.

Роджер видел свое окровавленное отображение в большом зеркале, и по мере того как кровь заливала шею, стекая за шиворот и смешиваясь с бордовым пятном, оставленным ящерицей, в его нутре росло удивление от того, что мать его ударила, и страх за нее, что она убила свое единственное чадо. А еще Роджер осознавал, что родительница смотрит на сына холодно, без эмоций. Хотя какие эмоции могут быть написаны на заднице?

— Ты меня убила! — прошептал Роджер, дотрагиваясь до уха.

— Если так, — ответила Лизбет, — тогда ты скоро узнаешь все про рай или ад.

— Если я сегодня попаду в рай, то мы с тобой никогда не увидимся.

— Почему?

— Потому что ты за убийство сына обязательно сгинешь в геенне огненной!

— Бога нет, — тихо произнесла Лизбет. — Ты уйдешь в небытие. Твое состояние после смерти станет похоже на состояние до твоего рождения. Ты его помнишь? Пятьдесят лет назад? Сто?..

Роджер заткнул ухо указательным пальцем и думал.

— Ты все врешь! — пришел наконец он к выводу, икнув. — И говоришь все это, чтобы напугать меня. Я не умру, потому что твой удар был недостаточно силен! Единственное, чего я боюсь, — того, что ты влезешь в мои мозги! Через раненое ухо!

Лизбет достала из аптечки вату и, смочив ее водой, обтерла кожу сына.

— Я в твоих мозгах навсегда!

— Нет! — испугался мальчик и опять икнул. — Нет-нет! Лишь до небытия!

— Для тебя это навсегда!

— Ненавижу!!! — закричал маленький Костаки. — Ненавижу тебя всю!!!

Здесь Лизбет улыбнулась, взяла трепыхающегося сына на руки и отнесла на кровать в свою спальню, где долго гладила прыщавое чадо по ушибленной, икающей голове и рассказывала про своего отца, его деда: то, что было, и то, чего не было, а лишь казалось...

После Королевского пансиона Лизбет предстояло учиться в колледже имени Ее Величества.

На встрече с представителем королевы девушка категорически отказалась от продолжения учебы, чем поставила сэра Рейна в весьма затруднительное положение.

Она не объясняла своего решения, но, несмотря на все уговоры, решительно отказывалась даже обсуждать тему предстоящей учебы.

Так Лизбет попала в Букингемский дворец во второй раз.

Королева пристально смотрела на свою подопечную и думала о том, как бывает зла природа — такой некрасивой девушку сделать! Здесь никакие косметологи, никакие бриллианты и сапфиры не помогут!

— Что же вы, милая, учиться отказываетесь? —

поинтересовалась королева и встряхнула кудряшками.

— Не вижу смысла, — честно призналась девушка.

Елизавета сделала удивленное лицо.

— Насколько мне известно, я богата? — спросила девушка.

— Богата я, — уточнила Ее Величество. — Но вы не бедны, это правда.

— Я не красавица и блистать на светских раутах не собираюсь.

— Как же вы выйдете замуж? — подняла брови королева. — Если у вас ни красоты нет, ни ума?..

— Образование и ум вещи разные, как мне представляется.

Елизавету начинала раздражать эта некрасивая девушка, но она привыкла терпеть все, а в столь тонком деле, как определение судьбы подопечной, тем более следовало проявить выдержку.

— Замуж с деньгами выйти не трудно, — продолжала девица. — Но нет у меня и к этому стремления!

— Чего же вы хотите?

— Позвольте мне, Ваше Величество, жить самостоятельно. Мне скоро восемнадцать, и я способна обойтись без чьей-либо опеки.

«Груба!» — все более раздражалась королева.

— Что ж, живите! — разрешила Елизавета вслух. — Я распоряжусь, чтобы все имущество было переведено на вас. Управляйтесь как знаете! Кстати, вам принадлежат часть порта и доки.

Лизбет сделала на прощание книксен. Королева вспомнила, как несколько лет назад уже видела эту комическую картину, только сейчас не понимала, что значит сие опускание тяжелого зада к великолепному паркету: уважение или изощренную иронию? Ее Величество так и не сделала на этот счет никакого вывода, а потому протянула Лизбет на прощание руку. Девушка пожала ее, отчего Елизавета чуть не вскрикнула.

«Слониха! — подумала на прощание королева. — Мужланка!..»

Девушку отвезли в родительский дом, который за время отсутствия Лизбет превратился в мрачное сооружение, заросшее какими-то сорными побегами.

Она прошла сквозь тяжелые двери и сквозь многолетнюю пыль вдруг учуяла запах матери. Ей тотчас представилось, что наверху, на втором этаже, в гостиной, собралась ее семья. И все ждут только ее, чтобы начать пить чай.

— Мамочка! — прошептала девушка, и на глаза ее явились слезы.

— Что? — спросил сопровождающий.

— Я ничего не говорила, — обернулась Лизбет уже с сухими глазами. — Спасибо за помощь.

— Завтра вам доставят банковские документы, бумаги на дом и на собственность. Все дела в полном порядке!

— Благодарю вас.

— Благодарите королеву!

Она осталась одна и до глубокой ночи бродила по многочисленным комнатам, отыскивая запахи — то вновь матери, то брата, то отца... Их было совсем по чуть-чуть. Особенно отцовского...

Выбрала для жизни именно его комнату...

А через неделю она наняла себе женщину, в обязанности которой входило следить за домом и порядком в нем. Сама же Лизбет явилась в порт и отыскала свой причал. Она пришла к управляющему и попросила взять ее на работу.

Управляющий, глотнув из большой чашки чая с молоком, ответил, что порт — царство мужское, где бабам делать нечего.

Лизбет присела к столу управляющего и, вперившись тому прямо в глаза, сообщила, что причал принадлежит ей, урожденной Ипсвич, единственной оставшейся в роду. Если господин управляющий возьмет ее в порт простой работницей и не разгласит тайну, то и она не оставит его внакладе, сохранит за ним место с надбавкой жалованья.

Чай, отбеленный молоком, свободно стекал по подбородку портового чиновника.

— Кем же вы, мэм, э-э, желаете трудиться? — приходил в себя управляющий.

— Какие есть вакансии?

— Бухгалтером... Вернее, его помощником...

— Это не подойдет, так как у меня не имеется специального образования.

Управляющий развел руками.

— Для женского пола более работы нет. Никакой...

— А для мужского?

— А мужчины здесь все грубые и все докеры.

— Что такое докер?

— Грузчик.

— Подходит, — кивнула Лизбет. — Выйду на работу завтра, и не смейте меня отговаривать!

Уходя из конторы, Лизбет вдруг вспомнила, как читала в пансионе Толстого и Достоевского, силясь понять, что представляют собой мужчины. «Увидим», — подумала она, улыбаясь...

Управляющий глядел вслед своей хозяйке и дивился широкости ее спины и мощи ягодиц. Еще он отчаянно трусил, что ситуация может выйти из-под контроля и он лишится места, к которому привык, как к родному.

В портовом магазине Лизбет купила докерскую робу и грубые перчатки, какие видела у управляющего в кабинете.

На следующий день, в семь утра, она поднималась на борт французского судна «Аквариус». Здесь же находился управляющий и еще мужиков тридцать: все как на подбор — здоровенные, бородатые и пахучие, как кислый овечий сыр.

— Вот, — представил управляющий. — Баба...

Мужики заскалили рты, особенно здоровенный детина, лет двадцати пяти с большой родинкой на лбу. Зубы у него были словно куски сахара, кривые, белые и огромные. Ручищи, как ковш экскаватора, с въевшейся на всю жизнь портовой грязью.

— Видим, что баба! — сказал пожилой докер с волосатой грудью.

«Вот ведь, — подумала Лизбет, — волосы на груди седые».

— Так что, — замялся управляющий, — принимайте ее, так сказать, в вашу дружную компанию. На равных...

Докеры перестали смеяться.

— Ты что, унизить нас хочешь? — спросил старый.

— А в чем, в чем унижение? — трепыхался управляющий, прекрасно понимающий, в чем. — Баба могучая!

Перестал улыбаться и здоровенный детина. Он сжал кулаки, и получились два огромных молота.

— Да над нами весь порт смеяться будет, — произнес меченный родинкой неожиданно высоким голосом и ударил кулаком о кулак. — Девку в докеры! — И пошел на управляющего.

— Чего ты, чего! — попятился чиновник.

А детина продолжал надвигаться на управляющего, все бил кулаком о кулак и звук тем рождал, словно молот о наковальню постукивал.

А она вдруг меж ними оказалась и спросила:

— Вы что, ударить его хотите?..

Детина отодвинул ее с легкостью, будто ребенка. Добрался до управляющего, который оказался по грудь ему ростом, и этой самой грудью, ее мышечным напряжением, толкнул чиновника в лоб.

А тот уже от ужаса бледнел и приседал на ватных ногах, мечтая упасть в обморок, дабы сгинуть в нем бессознанным от унижения и побоев.

Никто из докеров и не думал приходить на помощь управляющему, все с интересом наблюдали, чем дело кончится.

Эпизод завершила Лизбет. Неожиданно для себя она развернулась и ударила что было силы по коротко стриженному затылку детины. Грузчики не проронили и вздоха, сохраняя спокойствие. Меченый повернулся, дабы узнать, кто посмел, и тотчас получил по лицу наотмашь.

Она ощущала, что ее удары сильны, и сама тому удивлялась.

Детина оторопел от бабьего нападения, и в голове его медленно варилось что-то, близкое к дикой, первобытной темноте.

Такая злоба вдруг обнаружилась в огромном теле, стекшая частью в кулаки-молоты, такого накала ненависть в меченом разрослась, что глаза его подернулись туманной пленочкой, как у медведя, которого собачонка за пятку укусила. Он оглядел невидящим взглядом свою компанию, забыл об управляющем и сделал шаг по направлению к Лизбет.

А она опять размахнулась и двинула в звериные глаза пятью пальцами.

Детина лишь слегка уклонился, и пятерня просвистела мимо. Ее поймала клешня меченого.

Он стоял и держал руку Лизбет на изломе. Еще мгновение — и переломил бы надвое. Но торопливости в меченом не было. Он стоял и смотрел на ее некрасивое лицо, и в голове его опять медленно что-то варилось.

— Баба, — произнес детина и, отпустив руку Лизбет, неожиданно улыбнулся. Помял лицо, растирая следы удара, и, почувствовав слабую боль, захотал высоким неприятным голосом.

Докеры тоже заулыбались, даже управляющий хмыкнул, а меченый обнял по-мужски Лизбет за плечи и вновь сквозь хохот проговорил:

— Баба!..

А потом ее учили работать всем коллективом: как канаты вязать, как снизу краном управлять, как мешок на спину крепить. Конечно, подсовывали что полегче. Она даже научилась ходить в грязный мужицкий сортир, от которого ее в первый раз чуть не стошнило...

А к вечеру, когда закончилась смена и вся компания притащилась в портовый паб, старый докер с волосатой грудью, прикончив третью пинту пива, кивнул на меченого, в руке которого пивная кружка казалась наперстком, и сказал между прочим:

— Парень-то,— чемпион Англии по боксу среди докеров! В профессионалы зовут!

Меченый вскоре и ушел в профессионалы, а Лизбет продолжала каждое утро являться в порт и до заката солнца работала наравне с мужиками.

Вечерами она научилась пить виски и иногда напивалась, но не до беспамятства, как многие, а оставляла часть рассудка, чтобы добраться до дома и рухнуть в отцовскую постель.

Иногда ей случалось драться с пришлыми, компания на компанию, после чего докеры и вовсе перестали замечать ее принадлежность к противоположному полу. Не стесняясь Лизбет, справляли малую нужду где ни попадя...

Что такое мужики, она так и не разобралась, хотя, работая с ними бок о бок, сама иногда чувствовала себя мужиком и жалела, что рождена девицей. Считала, что мужчине легче, что ум в нем или сила — все одно что-то имеется, а в женщине лишь сложности накручены, не затрагивающие мозговые процессы. Что такое ум, она не понимала, а что есть сила, знала не наверняка.

А года через два она встретила в пабе своего Костаки и совершила свой единственный полет...

Зачем Лизбет рассказывала об этом сыну, она сама того не ведала. Но, по счастью, избитый подросток спал и сквозь сон слышал только гудение в ухе, как будто раковину морскую приложили...

Утром Роджер проснулся в своей постели с сильнейшей головной болью.

«Я — раненый, — решил он. — Ни в школу, ни к учителю музыки сегодня не пойду».

Он с трудом встал, подошел к бюро и вытащил из шкафчика коробочку, в которой лежала мертвая Марта. Шкурка ящерки потускнела, и мальчик решил поторопиться сделать намеченные дела.

Матери дома не было, и из ее зеркального столика, стоявшего в спальне, он выудил толстую пачку денег. Из нее он отсчитал триста фунтов, положил в правый карман и еще тридцать — в левый.

Выйдя на улицу, поднял руку и остановил такси, назвав улицу Мортон.

Через пятнадцать минут Роджер находился в офисе таксидермиста.

Немолодой человек лет тридцати пяти, с ясными глазами, улыбнулся навстречу прыщавому мальчику и, поглядев на коробочку, поинтересовался:

— Черепашка?

— Вам что, не докладывали?

— Ах да, — улыбнулся таксидермист. — Ящерица. Мне еще какое-то имя называли...

— Марта, — напомнил Роджер.

— Вот-вот. Чудесное немецкое имя. Давайте ее сюда.

Роджер протянул коробку и сел к хозяину в пол-оборота.

— Так-так, — озабоченно проговорил мастер по изготовлению чучел. — Как же это произошло?

— Я обязан отвечать?

— Вовсе нет... — И тем не менее спросил: — Вивисекция?

— У нас есть такое приспособление, с помощью которого режут на тонкие ломтики сыр. С такой большой ручкой. Мы резали сыр, Марта пробегала и...

— Какая драма! — с чувством произнес таксидермист.

— Драма наша, ваши деньги! — добавил Роджер.

— Да-да, именно так. Но бывает и наоборот. Какой-нибудь охотник хочет сделать на память из трофея чучело, и никакой драмы нет! Вон, видите, — таксидермист указал в дальний угол мастерской. — Охотник — мастер своего дела, попал белке прямо в глаз и желает, чтобы я след от дроби красным отметил. Что ж, сделаю глаз красным... Вообще-то вся-

156

ких там дохлых ящериц, попугайчиков и змеек родители детишек приносят, чтобы сохранить им добрые воспоминания о друге. Вы, молодой человек, исключение, вы сами принесли свою привязанность!

— Она не сдохла! — вздернул бровью Роджер. — Она умерла.

— Пусть так. Давайте вашу немочку сюда.

— Когда готово будет? —поинтересовался мальчик, передав ящерицу таксидермисту.

— Заходите через неделю...

Роджер выплатил мастеру гонорар, получил расписку и, выйдя вон, вновь остановил такси и назвал адрес зоомагазина. Там он совершил оптовую покупку и в специальном ящике принес ее домой.

— Восемь... девять... — он пересадил десятую ящерицу в аквариум и высыпал экскременты, накопившиеся за поездку, туда же.

Этим же вечером Роджер задушил одну из ящериц тонкой, но очень прочной нитью и все вглядывался в бусиновые глаза зверюшки...

И второй эксперимент был признан неудачным.

Наутро Роджер отыскал в телефонном справочнике десять контор, занимающихся набивкой чучел, и, позвонив в первую сверху, договорился о встрече...

Через две недели отец Себастиан обнаружил, что сел в исповедальне на что-то постороннее.

«Опять какой-нибудь скромный подарок», — подумал священник.

При свете дня он увидел в коробочке великолепно изготовленное чучело ящерицы, к лапке которой была привязана бумажка с надписью «Марта»...

———

5.

— А ты не смейся! — проговорил старик рассерженно. — Давай, пацан!

И он дал.

Коротко, почти без замаха, ударил по новенькому мячу, при этом нога его, как у заправской балерины, задралась после удара в шпагате к небесам, мяч, словно камень, из рогатки пущенный, влетел в правую от вратаря девятку и, запутавшись в сетке, повис у задней штанги.

— Еще раз сможешь?

Колька пожал плечами.

— Катни мячишко! — попросил обескураженного Рината старик.

Установили мяч с другой стороны. Ринат присел и слегка перетаптывался с одной ноги на другую. Когда он качнулся вправо, Колькина нога будто сама приняла решение, разогнулась и щечкой закрутила мячик влево. И вновь снаряд запутался в сетке. Ринат даже прыгнуть не успел.

Эти эксперименты разглядели с другой стороны поля и потянулись посмотреть на небывалое. Если бы Колька до этого хоть сколько-нибудь интересовался матчами, то признал бы в молодых людях почти весь цвет советского футбола. Сборная...

— Чего притащились? — с деланным раздражением поинтересовался старик. — Своих дел нет?

— Так, посмотреть! — отозвался один молодой, но лысый.

— Интэрэсно, как Рынатку пацан рвет! — признался второй, с черными усами и южным носом.

— Сможешь? — наклонился к самому Колькиному уху старик.

— Попробую.

Установили мяч на тридцатипятиметровой отметке. Старик погнал всю команду за ворота, а Кольке посоветовал:

— Слегка разбегись...

Он разбежался и ударил что было силы. Мысок опять взлетел к облакам, за воротами охнули... Только вот по мячу Колька не попал. Зато кусок выдранного газона улетел на трибуны.

Не заржали, как водится, просто интерес потеряли, чего-то стали говорить друг другу, к эпизоду не относящееся, а Ринат принялся бить подошвами бутс о штангу, очищая обувь от земли.

— Давай еще! — почти приказал старик. — Только делай сам, как знаешь!

Никого уже пацан не интересовал, только Ринат стоял в рамке напряженно.

Колька, бледный, с тонкими бесцветными губами, глянул на свои ноги и опять, от себя не ожидая, вдруг саданул по мячу с левой, так что снаряд хоть и полетел чуть над головой вратаря, но с легкостью пробил руки Рината и вдобавок, угодив в ворота, растянул сетку так, что на излете бацнул в голову «интэрэсно».

Грузин выматерился, потирая «третью ногу», и сейчас засмеялись все. Даже сам ушибленный усач. Только старик не смеялся. Он подошел к воротам и тихо рассказал южному человеку, что если он еще раз ругнется, то в Голландии не сможет купить для своей любимой тюльпанов. Не потому, что в Голландии они отцвели, а потому, что он вместо Амстердама поедет на Центральный рынок и сам будет торговать тюльпанами!

Грузин хотел было вспылить, но его остановили товарищи.

— Все свободны! — проговорил старик тихо и подошел к Кольке: — Не устал?

Колька отрицательно помотал головой.

— Любишь футбол?

— Не знаю, — честно ответил он.

— Как тебя зовут?

— Николай Писарев.

— Хочешь учиться в спортивной школе, Николай Писарев?

— Можно, — согласился Колька.

— Хорошо.

Старик улыбнулся, достал из кармана блокнот и ручку. Что-то написал на листочке и, вырвав его, вручил Кольке.

— Адрес школы. Будь завтра к восьми тридцати. Понял?

— Понял, — кивнул Колька.

— А знаешь, кому ты в голову попал? — спросил напоследок старик и сам ответил: — Тому, чье имя у тебя на груди написано...

А через три месяца Колька понял, что футбол не его стихия, хотя все получалось, как у обыкновенного гения. В атаку он научился ходить быстро и кудесником расправлялся с защитниками. Штрафные получались на загляденье, как в фильмах-пособиях...

Но чего-то Кольке опять не хватало. Снова какая-то маета поселилась в его душе, отчего он пребывал в грустном расположении духа и засыпал по ночам в школе позже всех, тоскуя, как одинокий пес. Даже при воспоминании о бабке с ее жареной картошкой слезы на глаза накатывали. Хотелось вернуться домой, в свой двор, и жить жизнью простой, каждодневной, а не готовиться постоянно к важной задаче и будущей чести защищать престиж могучей Родины. Но обещание старику с известным лицом было дано, возвращаться во двор неудачником было невозможно, и Колька носился по полям, вколачивая мячи во вратарские сетки.

Однокашники его не любили за выдающийся талант и за то, что он уже в шестнадцать за дубль играл. А значит, получал классную форму, более свободный режим, и на карманные расходы ему в клубе выдавали... Впрочем, нелюбовь при том свою не выказывали, так как чревато сие было последствиями. За обиду, нанесенную Николаю Писареву, любого не то что из школы, из команды бы выгнали.

Частенько наведывался старик и спрашивал:

— Как?

— Нормально, — отвечал форвард.

А в последний раз старик сообщил, что вскоре Николаю Писареву предстоит играть за основной состав.

— Самым молодым в истории клуба будешь! — прикинул старик.

А он даже «спасибо» не сказал...

Его признали лучшим игроком сезона, и он стал почти звездой в огромной стране...

Иногда он навещал бабку, руля новеньким «Жигуленком», приезжал и, наслаждаясь жареной картошкой, глядел во двор грустными глазами, как будто пытался что-то отыскать на футбольной коробочке, где по-прежнему рубились дворовые с соседскими. Только что-то Фасольянца видно не было в судьях...

Во втором своем сезоне он забил еще больше мячей и стал кандидатом в сборную. Перед встречей с поляками он подошел к Кипиани и попросил прощения.

— За что? — удивился тбилисец.

— Помните, несколько лет назад мальчишка в Лужниках вам мячом по голове въехал. Еще на нем майка была с надписью «Кипиани».

— Ты, что ли?

— Я.

— Не ошибся старик, — покачал головой Давид и, приняв на грудь тренировочный удар, побежал на другую сторону поля...

На третий год футбольной карьеры пришелся пик Колькиной тоски. Во второй половине сезона он перестал забивать, лишь вяло бегал по полям Союза, зато переключился на своих поклонниц, коих набиралось в каждом городе великое множество.

Он сбегал из расположения команды и все ночи напролет сжимал в своих объятиях сладкие девичьи тела, притворявшиеся сначала замочками, которые потом вдруг открывались легонько, а там... Там и содержалась огромная Колькина тоска. Оттуда исходила могучим, сладким на обманное мгновение потоком, отнимая физические силы, лишая ноги таланта...

Его посадили на скамейку, и что более всего раздражало старика в Писареве — полнейшее безразличие к своей судьбе. На его самолюбие невозможно было воздействовать. Говори хоть самое обидное, он даже губы не сжимал, просто улыбался в ответ и руками разводил...

А как-то в межсезонье встретил во дворе Кипу, сильно повзрослевшего, с черным тубусом под мышкой.

— Привет!

— Привет!

Кипа, оказалось, учился в университете на физика. Рассказал про Лялина, что того мамаша определила в МГИМО, а Кишкин остался на сверхсрочную в армии прапором.

— А Фасольянц где? — спросил Колька.

— А Фасольянца парализовало. От него Джульетта с детьми ушла и развода добилась. Доказала в суде, что у мужа внебрачные связи имелись!

— И где он сейчас?

— Сдали в какой-то специальный дом... В Кимрах, кажется... — Кипа немного помялся, а потом спросил: — А с тобой что? Чего двор позоришь? Даже на замену не заявляют?

— Не знаю, — признался Колька. —' Видать, талант закончился.

— Или звездная болезнь?

— Может быть, — пожал плечами Писарев и пошел ловить такси...

А еще через два месяца Колька ночью проник в административное здание тренировочной базы, вскрыл кабинет начальника команды и включил фонарик. Награды и кубки брать не стал, направился к сейфу — тяжелому металлическому ящику. Понадеялся на удачу — вдруг не закрыли, но дверь плотно стояла на месте... Он посидел в начальственном кресле, раздумывая, что делать дальше, думал минут пятнадцать, а потом просто поднял тяжеленное железо и потащил его на выход. Прошел с сейфом километра два, до свалки, и сбросил ящик с плеч. Поискал какой-нибудь инструмент и в свете фонаря и наступающего утра обнаружил ржавый топор, а также кусок лома. Подумал еще — какая такая сила лом смогла на две части разорвать?..

163

Часа два пытался топором загнуть угол сейфовой двери, пока наконец не получилось достаточного зазора, куда Колька всунул лом и навалился на него всем телом своим. Качался на ломе, пока что-то не лопнуло в запирающей конструкции. Колька отлетел в сторону и больно ударился спиной о кусок какого-то бетона. Корчился от боли, словно змея, а когда отошло, увидел, что дверь сейфа открыта. Бросился к раскуроченному железу и вытащил из его нутра несколько пачек денег, заметив, что купюры по пятьдесят. Завернул добычу в газетный лист, валявшийся тут же, и сунул награбленное за пазуху. В сейфе хранилось еще множество всяких документов, но к ним интереса он не проявил, а быстро побежал в сторону железнодорожной станции, где, дождавшись первой электрички, заскочил в нее и отбыл к Москве...

Уже через двадцать минут поездки в душе у Кольки поселился страх и раскаяние от содеянного. Спроси его, для чего сей грабеж был совершен, молодой человек вряд ли смог бы вразумительно ответить. От тоски непроходящей, может быть...

Уже подъезжая к Москве, Колька почувствовал, как заболело отчаянно в боку, но боль он переносил хорошо, а потому вышел на Ярославском вокзале и двинулся по утренним улицам, сам не зная куда. Оказавшись в подземном переходе Калининского проспекта, он вдруг совсем утерял бодрость духа, а потому достал из-за пазухи сверток и сунул его в урну. Побродил вокруг, а потом вышел к магазину «Юпитер», где испытал в боку приступ сильнейшей боли. От кинжальной рези он присел на корточки, прислонившись к витрине магазина. Закрыл глаза.

— Пьяный, что ли?

Носок чьей-то обувки ковырнул его ногу. Колька

164

открыл глаза и увидел постового милиционера. Тот стоял над ним, как фонарный столб, и слегка бил резиновой палкой себе по ляжке.

— Я не пьяный! — ответил Колька.

— А ну, дыхни! — приказал постовой.

Он встал, морщась от боли, и дыхнул.

— Действительно трезвый, — констатировал страж порядка. — А чего тогда расселся здесь?

— Живот...

— Так сортир есть во дворе общественный! — рассказал милиционер и хотел было уже идти своей дорогой, как тут Колька поинтересовался:

— Скажите, а вот если человек сейф украл, а в сейфе деньги большие...

— Ну, — с утренней скукой подбодрил постовой.

— А потом раскаялся и деньги в мусорную урну бросил...

— Так-так...

— Что ему будет, если он раскаялся?

— Что ему будет? — лениво переспросил страж порядка. — Что ему будет?..

И вдруг в глаза милиционера блеснуло первыми лучами солнца. Он весь напружинился, что-то лихорадочно соображая, затем помог Кольке встать и взял его за предплечье стальными пальцами.

— Пойдем! — приказал.

— Куда? — испугался Колька.

— Прогуляемся, — и повел его к подземному переходу.

— Зачем? — трясся Колька, а милиционер уже предчувствовал какую-то невероятную удачу в своей жизни.

— Тихо, тихо, — ласково успокаивал он пойманного, спускаясь по лестнице перехода. — Та-а-к! — протянул. — Четыре.

— Чего четыре? — спросил Колька.

— А сейчас мы узнаем, чего! — Милиционер сунул руку в первую по ходу урну и вытащил ее измазанной в чем-то склизком и воняющем. Обтер о Колькину рубашку и, не услышав даже словесного сопротивления, возрадовался всем сердцем, чуявшим удачу.

А Колька следовал за постовым, как бычок на заклание. Он уже понимал, что вот-вот произойдет нечто ужасное, которое перевернет всю его жизнь с ног на голову. А от одного сознания этого в голове мутилось, и сердце сжималось в грецкий орех...

Вторая урна зазвенела пустыми бутылками. Милиционер даже перевернул ее, вытряхивая содержимое на пол. Поковырялся пальчиком и опять короткий с обломанным ногтем о Кольку вытер.

Пошли дальше. По мере того как приближались к третьей урне, в теле Кольки нарастало сопротивление, рефлекторно шаг его замедлился, а мышцы напряглись.

— Ишь, здоровый какой! — заметил милиционер. — Хочешь потише пойти, пойдем потише!..

Колька лишился дара речи. Почему-то в сознании промелькнул образ деда...

Рука постового нырнула в скопище отбросов и тотчас выудила из него газетный сверток.

— Ой! — деланно вскрикнул милиционер. — Что мы нашли!.. — И развернул сверток, обнаруживая в нем пачки с деньгами,

В этот момент ментовского изумления Колька мог бы запросто сбежать, так как его никто не держал, но у него и в мыслях не было побега, к тому же в животе крутило и мутило.

А тут пришедший в себя постовой достал из глубоченного кармана наручники и сковал ими Колькины запястья.

Пока шли в арбатское отделение, радостный милиционер сказал, что его зовут Сережей, что он непременно расскажет в отделении, что задержанный практически добровольно поведал власти о совершенном правонарушении.

— Срок маленький дадут! — рассуждал Сережа, о себе думая, как о награжденном медалью, как явится домой с кругляшом золота на груди, как заохает и запричитает мать, а профессорская сволочь отец пожмет ему руку и покается перед приемным сыном за то, что всю жизнь его недоумком обзывал!

В отделении Кольку сразу заперли в «обезьянник», откуда он, впрочем, мог наблюдать, как милиционеры разглядывают толстые пачки денег, как считают их всем наличным составом, пока, наконец, крошечного роста майор в детских ботинках на платформе не сообщил:

— Двадцать тысяч!

В эту секунду Сережа подумал о том, что приемный папаша не беспричинно считал его недоумком. Надо было попросту экспроприировать у урны сверток, перепрятать его, а через полгодика зажить припеваючи, на зависть профессору!

Тем временем Колька застонал от невыносимой боли.

На стоны не обращали внимания даже вновь заступившие на службу. Никто не мог оторвать взгляда от состояния, лежащего на майорском столе, пока зам. нач. отделения не спрятал деньги в свой сейф.

Потом Сережа, все-таки чувствующий себя именинником, взял со стола газетку, в которую были закручены тысячи, развернул ее и обнаружил на первой странице, почти во всю полосу, портрет грабителя, запертого сейчас в «обезьяннике».

«Советский спорт», — прочитал он название газеты. А под фотографией задержанного стояла подпись, прочтя которую, Сережа обругал себя последними словами.

«Лучший бомбардир прошлого сезона Николай Писарев»!

Да как же он, далее постовой обругал себя матерно, не узнал своего и народного любимца! Бывало, они вечерами с приемным папашей болели за разные команды, и всегда побеждала команда Писарева. А он, Сережа Сперанский-Протопопов, собственными руками отдает под суд звезду отечественного футбола, вместо того чтобы отпустить Николая и присвоить деньги. И благородно бы получилось, и приварок огромный!..

Но дело было сделано, и Сережа Сперанский-Протопопов сообщил всему отделению, кто у них сейчас в «обезьяннике» охраняется.

Тотчас все отделение в полном составе рвануло поглядеть на падшую звезду, но Николай Писарев лежал в углу клетки бессознанным, явив сотрудникам МВД свое почти юношеское лицо.

Под охраной милицейского уазика «скорая помощь» отвезла преступника в Склифосовского с диагнозом «грыжа обыкновенная», где его через час прооперировали, а пока он от наркоза отходил в отдельной палате, медсестры умоляли охранника дать возможность хоть сквозь крохотную щелочку полюбоваться всесоюзной черноволосой звездой!

Охранник проявлял добросердечие и приоткрывал дверь, позволяя девушкам поахать от лицезрения звезды и поохать оттого, что теперь ее долго не увидать!..

А уже к вечеру в палату Николая Писарева пришел следователь. Старый, с одышкой, в штатском костюме-мешке, он участливо поинтересовался, зачем столь преуспевающий молодой человек сделал то, что сделал.

Николай совершенно искренне ответил, что сам не знает. Может быть, какие-то подсознательные процессы побудили его на преступление, а может, просто тоска или скука...

— Муторно мне было в последнее время, товарищ следователь!

— Звезд делать мы умеем, а человеков из звезд...

Следователь был явно недоволен ответом допрашиваемого, увидев в нем зазнавшийся, деградировавший элемент, чуждый партии и народу, а потому принялся допрашивать его строго и с презрением.

Николай на все вопросы отвечал честно, все рассказал в подробностях и, уже обессиленный, спросил:

— А что мне будет?

— Ты бы вначале поинтересовался, что будет, а потом совершал ограбление!

— А все же! — взмолился Писарев.

— Треху дадут! — сжалился следователь. — Все ж хватило ума на явку с повинной!..

Старый следователь ушел, а Николай отвернулся к стене и молча заплакал. Он плакал о том, что его жизнь так круто развернулась, о том, как страшно в тюрьму идти, о позоре и о бабке своей плакал, которая расстанется со своим любимым внуком на целых три года...

— Я ему покажу!!! — орал на всю спортивную базу начальник команды. — Падла!!! Вырастили на свою башку гниду, да еще в волосья посадили, мол, созревай, а когда вырастешь, кровушку нашу пей не стесняясь! — С багрового цвета физиономией, долговязый и неуклюжий, начальник ходил по огромному кабинету, в котором собрался весь тренерский состав. Ждали старика.

— Я ему, козлу, устрою! Он у меня всю жизнь ползать на коленях будет, на ноги никогда не поднимется!

— Он же повинился! — вставил свое слово второй тренер.

— Я ему не папаша, а он мне не сынок, чтобы виниться! Показательный процесс!!! Чтоб остальным сукам неповадно было!..

Раздался телефонный звонок.

— Допросили?! — рявкнул в трубку начальник. — Где сейф?.. Ой-е-е-е!!! — бросил трубку так, что пластмассовый корпус треснул. — Давай, Максимыч, дуй на свалку, там местные менты орудуют. Забирай сейф любой ценой! Говори, что секреты в нем государственной важности!..

Максимыч кивнул и выскользнул за дверь.

В течение получаса пили минералку. Все, кроме начальника. Он с периодичностью в пять минут заливал в организм полстакана армянского коньяка и жевал лимон, отчего присутствующие исходили слюной.

Приехал старик. Бодро прошел через кабинет и встал возле стенки, садиться не стал.

— Будешь? — кивнул на коньяк начальник команды.

— Нет, — отказался старик. — И тебе не советую. А то опять нажрешься до скотского состояния!

Начальник заскрежетал зубами, но ничего не ответил.

Опять замолчали на полчаса. Иногда старик отодвигал оконную портьеру и глядел на окрестности.

А начальник после каждой коньячной дозы все более багровел, набрякая тухлым помидором, так что казалось — сейчас его инсульт и шарахнет.

— Приехал твой Максимыч! — сообщил старик.

— С сейфом? — вскинулся начальник и опрокинул стакан на стол. Коньяк потек по полировке, с нее на кроссовки начальника, а там добрался до отечной ступни и язвочки возле большого пальца. Защипало...

— С сейфом, сейфом! — подбодрил с ехидной улыбочкой старик. — Сержантики услужливо тащат!

— Давайте вниз! — распорядился начальник команды, указав на массажиста и тренера по общефизической подготовке. — Не фиг ментам здесь делать! У нас сборы, ответственный момент перед игрой с югославами!..

Через три минуты сейф втащили и бухнули прямо на стол, губя полировку непоправимо. Начальнику было наплевать. Он всех отправил вон, оставив только Максимыча и старика. Некоторое время глядели на искореженную дверь.

Наконец начальник решился и потянул за ручку. Металл заскрипел и поддался. Он сунул внутрь обе руки, щелкнул каким-то рычажком и открыл потайное отделение...

Через минуту на столе лежало десять пачек облигаций трехпроцентного займа достоинством по сто рублей каждая.

— Фу, е-е-е!!! — выдохнул начальник и запил облегчение стаканом армянского.

— Сколько денег было? — поинтересовался старик.

— Двадцатка.

— Ну и хрен бы с ней! — ободрил старик. — Скажешь, на проживание в Югославии... На гостиницу и прочее...

Начальник кивнул, и тут стало видно, что он поплыл.

— Все ты виноват! — глядел он исподлобья на старика. — Ты талант разыскал! — И совсем уже пьяно: — Ты у нас любишь таланты разыскивать! А он у нас бабки!!! Твой талант — наши бабки! Ха-ха!..

Начальник икнул, пошатнулся и с трудом усидел в кресле.

— Тебя, между прочим, — парировал старик, — тебя откопал тоже я! Или забыл?

— Помню, помню...

— Что с пацаном делать будем? — поинтересовался старик.

— А я уже сказал — показательный процесс!

— Погибнет, — пожалел Максимыч.

— А мне на... — начальник команды не договорил, блеснул пьяными глазами и взялся за телефонную трубку.

Через несколько минут его соединили с заместителем генерального прокурора.

— Александр Вениаминович!.. Да-да... Знаете уже... Что мы думаем?.. А вся команда дружно настаивает на показательном выездном суде!

Старик схватился за голову.

— Бумага от команды будет! — подтвердил начальник. — Все подпишут!.. Когда, вы говорите? Послезавтра в двенадцать?.. Буду!..

Не успел он положить трубку, как его вырвало прямо в сейф. Тело не удержало равновесия, и начальник команды рухнул с кресла под стол.

— Приберись здесь, — попросил старик Максимыча, поморщившись.

Тот кивнул.

— Есть портфель какой?

— Найдем.

Максимыч достал из шкафа старенький дипломат, вывалил из него на ковер стопку вымпелов и поставил перед стариком на стол.

— Облигации я с собой пока возьму. Так надежнее будет.

Старик сложил тяжелые пачки в дипломат, щелкнул замками и, не попрощавшись, вышел прочь.

Через несколько мгновений Максимыч услышал звуки отъезжающей «Волги»...

Через три месяца состоялся суд — выездной показательный процесс над игроком Высшей футбольной лиги Советского Союза Николаем Писаревым.

В обвинительной речи заместитель генерального прокурора, тот самый Александр Вениаминович, произнес гневную речь. Весь пафос ее состоял в том, что страна растила из обыкновенного дворового мальчишки звезду почти международного масштаба, а он, Николай Писарев, вместо того чтобы отрабатывать доверие Родины, пресытился успехами, встал на преступный путь и совершил циничное по своей сути ограбление собственных же товарищей!

— И вот, товарищи, — Александр Вениаминович достал из кармана сложенный вчетверо лист и, развернув его, прочитал голосом народного артиста Левитана: — Мы, нижеподписавшиеся, команда, в которой играл наш бывший товарищ Николай Писарев, глубоко возмущены поступком нападающего и просим суд отнестись к нему со всей строгостью закона! И даже еще строже!

Далее зам. ген. прокурора поведал, что обращение подписало двадцать девять человек, и даже повариха тетя Клава поставила свой автограф...

Здесь оратор передавил, и в зале засмеялись.

Александр Вениаминович, великий мастер своего дела, сразу же сообщил, что тетя Клава награждена медалью «За доблестный труд», а когда труд такого человека оказывается перечеркнутым, «совсем невмоготу становится, товарищи»!..

Колька сидел за решеткой и закрывал ладонями лицо, слушая слова прокурора. «Все правильно, все правильно!» — носилась в мозгу одна фраза...

Защита была вялой, словно было уже заранее известно, что защищать обвиняемого бессмысленно — это то же самое, что перед пулей становиться.

Женщина-адвокат зачитала присутствующим положительную характеристику из Колькиной школы, рассказала суду, что рос он без родителей, с бабушкой и дедом, который тоже был не в ладах с законом, за что поплатился жизнью...

На этих словах Колька отнял ладони от лица и с удивлением поглядел на адвокатессу. Здесь он коротко встретился с глазами бабки, и столько в них горя было налито, что у самого защипало в носу. Еще он увидел на ее коленях узелок и подумал — наверняка в нем жареная картошка. И ему вдруг так захотелось ее поесть с лучком, что в кишках перевернулось...

Прокурор, в связи с тем что дело получило огромный общественный резонанс, запросил пятнадцать лет лишения свободы!

В зале охнули.

Повалилась боком на соседей пожилая женщина. Из рук ее выпал узелок и, развязавшись, вывалил на пол шерстяные носки, нижнее белье и крошечный образок Колькиного ангела-хранителя...

Зал гудел, обсуждая крайнюю цифру.

Но тут на свидетельскую трибуну выскочил молоденький сержант Сперанский-Протопопов и с раскрасневшимся лицом стал сообщать, что именно он задерживал подсудимого, что Писарев практически сам признался в содеянном!

— Это явка с повинной! Пятнадцать лет — произвол судейский!!!

Охрана стащила Сережу со свидетельской трибуны, и суд дал возможность Кольке произнести последнее слово.

Он встал, а горло словно свинцом залили. Стоял немой как рыба, и только головой качал, будто кланялся. А потом сел... Суд удалился на совещание для вынесения приговора.

«Именем Российской Федерации!..» — возгласила судья.

Она еще долго читала. Были красивые слова про партию, ее вождей, про воспитание молодого поколения и так далее. Но все это свелось к последней, одной из самых главных фраз в жизни Николая Писарева: «...приговорить Николая Писарева к девяти годам лишения свободы с отбыванием в колонии строгого режима».

Против пятнадцати это было совсем ничего, на целых шесть лет меньше. Колька даже улыбнулся...

Ему разрешили проститься в зале суда с родственниками, и он впервые за жизнь произнес слово «бабушка», а не бабка. А она протянула ему узелок и потом гладила прохладной ладошкой щеку.

А потом внезапно перед клеткой появился старик, словно из пола вырос, и сказал:

— Не дождусь!

— Дождетесь, — подбодрил Колька.

— Выйдешь, заходи. Тебе сколько будет?

— За тридцать.

— Во второй лиге побегаешь еще!

Кольке показалось, что старик напоследок хмыкнул. Совсем еще крепкий, он дошел до дверей, не оглядываясь, а Писарева, заковав в наручники, сквозь судебный коридор провели к автозаку, и повез он его к началу долгого путешествия, в котором есть только неизвестность одна...

Вечером этого дня профессор Московского автодорожного института Сперанский, посетивший с утра громкое судебное разбирательство, впервые за совместную жизнь пожал руку своему приемному сыну Сереже Сперанскому-Протопопову...

Уже на этапе Колька узнал, что его статья ни пересмотра, ни досрочного освобождения, ни амнистии не предполагает. Но что самое страшное было для его судьбы — зеки его невзлюбили отчаянно. В поездах, двигающихся по этапам, бывшего футболиста били смертным боем, причем все скопом, даже самые слабые пристраивались к избиению, так как для них это было утешением в собственных страданиях.

— За что? — вопрошал Колька, сплевывая выбитые уголовниками вставные зубы.

— Ты опозорил страну! — объяснял пахан какого-нибудь очередного вагона. Обычно от него пахло так же, как из сливного ведра, в который зеки ходили по нужде. — Можешь кончить хоть десятерых, кассу взять, замочив при этом случайно малолетнего ребенка и его мамку, но Родину, Родину не замай!

— Господи! — не понимал Писарев. — Да чем же я Родину опозорил?

На этот вопрос ему обычно не отвечали, но непременно вместо объяснений приступали к избиениям.

Как-то раз, где-то на бесконечных казахских железных дорогах, на третьем месяце этапов, Кольку поместили в новый тепляк, где шишку держал некий дядя Мотя, человек с толстым задом да худосочными плечиками. Прибытию Кольки он обрадовался, объяснив, что за долгие месяцы скитаний в вагоне он первый новенький.

В этот вечер его впервые не били. Даже чаю налили и печенюжку дали. Колька был растроган и за чаепитием рассказывал зекам свою незаладившуюся судьбу. Пятнадцать человек внимали его словам, будто родные. Кое-кто даже слезу смахивал.

«Вот, — думал с радостью Колька, — к нормальным людям попал».

Когда он засыпал на выделенной ему нижней полке, жизнь не казалась такой уж безнадежной.

Если бы на зоне все были такие, то жить можно. Жили же наши солдаты в концентрационных лагерях и выживали...

Он почти уже заснул. Его разнеженные мягким матрасом косточки радостно томились, ноздри в первый раз не ощущали запаха параши, и птичка сна была готова уже сорваться с его виска, как вдруг он почувствовал, как на него навалились трое мужиков, двое на руки сели, а третий штаны пытался стянуть.

— Давайте, детушки, — слышался где-то рядом голосок дяди Моти. — Время не тянем, детушки! Тогда всем достанется. И не портите его тухес грубыми прикосновениями. Я не люблю, когда синяки на тухесе!

Уже здесь, прижатый к мягкому матрасу, Колька вдруг понял, что попал в вагон к педерастам. Также он осознал, что сейчас с ним произойдет.

— Какая попка! — выразил свое изумление дядя Мотя. — А ну-ка, Юрок, осади назад.

Колька почувствовал прикосновение к своему телу чьих-то голых ног, к горлу подступила рвота, он рванул что было силы правую руку, выдергивая ее у потерявшего бдительность зека, сунул назад, прикрываясь, тронул чью-то набухшую плоть и рефлекторно взялся за нее...

— Молодец, Колясик! — блаженно проворковал дядя Мотя. — Так держать! — И захихикал.

Колька почувствовал, как плоть в его руке твердеет, осознал, за что взялся, изрыгнул из себя дареную печенюжку вместе с ужином и дернул что было силы эту восставшую материю, стремящуюся попасть в его зад. Раздались звуки рвущейся плоти и неожиданно тихий голос дяди Моти:

— Ребятоньки! Он мне яйца оторвал с хером!

Кольку разом отпустили, он соскочил с полки, левой рукой натянул портки, а в правой поднял, словно Данко сердце, оторванные гениталии дяди Моти.

— А-а-а! — заверещал король педерастов, никогда не видавший свое хозяйство на столь отдаленном расстоянии. — А-а-а! — Второй крик, когда он увидел хлещущую из раны кровь, был куда громче...

А Колька продолжал стоять, держа трофей на вытянутой руке, глядя, как слабнет вместе с потерей крови дядя Мотя, как мутнеют у него глазки, как подгибаются колени.

— Убил, — прошептал пахан петухов.

Медленно, по стеночке, он съехал на грязный пол, пару раз моргнул и испустил дух. Голова его моталась в такт перестуку колес, а все остальные пидоры завороженно глядели на убивца.

А Колька подошел к окну и выкинул Мотины гениталии в непроглядную ночь.

Их подхватила хищная сова и понесла птенцам в гнездо на прокорм.

— Еще кто хочет по мою задницу? — поинтересовался.

Желающих не нашлось. Все разбрелись по своим полкам, и два часа в вагоне стояла гробовая тишина.

Ее нарушил лишь тихий резиновый звук. Это в спину спящего Николая Писарева вогнал заточку любимый сексуальный партнер дяди Моти Аркаша Сирый. После этого он до утра тихонько плакал, да так горько, как обычно жена оплакивает умершего мужа.

На следующий день, когда вагон встал на станции Курагыз, охранники обнаружили в пидорской теплушке два недвижных тела. У одного вместо причинного места зияла огромная кровавая дыра, а второй тихонечко лежал с заточкой в спине.

— Кто?!! — заорал молоденький лейтенантик внутренних войск, которого едва не стошнило при виде мертвой туши дяди Моти.

Несмотря на то что служил лейтенантик недавно, он хорошо знал, что на вопрос его никто не ответит, даже пидоры. Следствие здесь не проведешь, в Курагызе, а потому служивый приказал сгрузить трупы с вагона и отправить в местный морг. Поезд должен был простоять в этом Богом забытом месте сутки, и за это время умерших заключенных требовалось кремировать.

Маленький ослик проковылял до здешней больницы почти полдороги, когда Колька застонал.

«Эгей! — подумал лейтенант. — Живой!..»

Он потормошил за плечи бывшего покойника и, чуть не оцарапавшись о заточку, хотел было ее вытащить, но не решился, а потому заторопил аксакала.

Аксакал заторопился, а ослик продолжал идти прежним шагом.

— Слышишь меня? — волновался служивый.

— Слышу, — ответил Колька бодрым голосом. — Где я?

— В Курагызе.

— Где это?

— В Казахстане. Болит?

— Что болит? — не понял Писарев. В голове у него словно дымовую шашку зажгли и памяти не было.

— Так у тебя в спине заточка! — зарадовался лейтенант. — Видать, самый чуток до сердца не достала! Повезло!

И здесь Колька вспомнил, что он не вольный хлебопашец, а государственный преступник. Еще он припомнил, что произошло ночью, и чуть было не взвыл. Удержался и решил при любом пристрастии идти в несознанку.

— Вот же бывает! — восхищался случаем лейтенант. — Ведь выжил же, значит, для чего-то!..

Он был молод и восторжен, а потому верил в справедливость не высшую, а здесь, на земле!..

Тут и осел дошагал до больнички. А в ней только кровать одна да девчонка косоглазая, казашка.

— А врач где? — поинтересовался лейтенант.

— Нет, — отвечала черноволосая.

— Что «нет»? Врача?

— Ага.

— Совсем нет или ушел куда?

— Ага.

— Что — «ага»? — сердился молодой конвоир.

— Нет, — чирикнула косоглазая и улыбнулась ямочками на смуглых щечках, зубками в два ровных рядика и язычком остреньким между ними.

«Жениться, что ли?» — подумал лейтенант, но и без этого дел было слишком много. Он увидел стоявший на белой тумбочке телефонный аппарат и бросился к нему.

— Але, але! — кричал он в трубку. — Дайте Курагыз! Станцию! Стан-ци-ю!..

Наконец его соединили, и он долго и терпеливо орал, чтобы позвали майора Юрикова, командира поезда.

— Майор Юриков слушает! — донеслось из трубки через полчаса.

И лейтенант коротко обрисовал ситуацию. В наличии у него труп номер три тысячи четыреста шестьдесят седьмой — один. Второй же мертвяк по дороге ожил. Заточка до сердца не дошла. Что делать?

Майор выматерился и приказал труп закопать, а выжившего оставить в больнице. Он сам свяжется с местным МВД, чтобы до выздоровления выделили охрану.

— Давай, лейтенант, — приказал майор Юриков. — Решай вопрос! Поезд раньше на пять часов отходит!

— Есть!

Вдвоем с аксакалом они перетащили Писарева на койку и положили физиономией вниз.

— Давай! — пригласил лейтенант косоглазую врачевать, а сам обошел больничку и обнаружил крохотное кладбище. В две лопаты они расковыряли степную землю, уложили в нее загнивающую плоть дяди Моти, покрыв лицо дохляка личным носовым платком лейтенанта, и вернули степь на место. Затем служивый приколотил к кривой палке саксаула дощечку и вывел на нем номер — 3467.

С нештатной ситуацией было покончено, и лейтенант, подмигнув казашке, отбыл на ослике обратно на станцию Курагыз.

«На русской женюсь», — подумал он напоследок и забыл обо всем...

А она, когда воцарилась над степью тишина, ког-

181

да небо окрасилось к ночи розовым, пришла к Кольке, села рядышком, легкая, словно перышко, взялась двумя пальчиками за железку в спине раненого и вытащила ее, да так просто, как какую-нибудь занозу. А потом рубашку закатала и, послюнявив пальчик, к ране приложила. В Колькину плоть вошел жар, погулял по разным членам и вышел через ноздри паром. Зек вспотел до макушки, затем затрясся от холода, а еще после потерял сознание.

На утро следующего дня он проснулся совершенно выздоровевшим. Посмотрел на свою спину в крохотное зеркальце, висящее на белой кривой стенке, и нашел рану совершенно затянувшейся, только розовое пятнышко сохранилось.

Она пришла в белом халатике, с бутылкой молока на фоне белых стен и белого солнца, бьющего сквозь крохотные окошки, с огромным кругом белого казахского хлеба. Все было вокруг белым, только волосы ее, распущенные, пересыпались иссиня-черным от плеча к плечу, в зависимости от того, куда она свою тонкую шею поворачивала.

— Это мне? — поинтересовался восхищенный красотой девушки Колька.

— Ага.

Он протянул руки, и она вложила в его ладони горячий круглый хлеб, от которого он жадно стал откусывать, пока половину не проглотил. Взял из ее ладошки бутылку с молоком и выпил, не отрываясь, до дна. Хлебная крошка попала не в то горло, и он закашлялся до слез, а она поколотила его по спине, затем улыбнулась и забрала бутылку

И тут он поглядел на нее, насытившийся хлебом, но голодный по-мужицки, посмотрел и открыл в аборигенке красоту необыкновенную, выдающуюся, будто природа вложилась именно в нее одну, казахскую девчонку, дав ей все, что отобрала у тысяч людей, сделав их уродливыми и несчастными.

— Как тебя зовут? — спросил он ее ошеломленно.

— Ага, — улыбнулась она и засмущалась, так что смуглые щечки зарумянились, а вишневые губки напряглись.

«Да она не говорит по-русски вовсе!» — догадался Колька и почему-то этому обстоятельству был чрезвычайно рад, даже встал с постели и протянул девушке руку.

— Николай! — И добавил: — Писарев.

Она взялась за кончики его пальцев и слегка их пожала. И было в ее пожатии все — и персиковая прохлада, и луны восходили под каждым миндальным ноготком... Колькино сердце забарабанило, и в животе потянуло...

— Ага, — вновь сказала девушка и слегка толкнула своего пациента в грудь, вновь отправляя того на пружинный матрас. Строго погрозила пальчиком и погладила по спине, в том месте, где еще вчера торчала смертельная заточка, потом слегка нажала на плечи, укладывая его на подушку. Он покорно лег и все смотрел на нее, как она села в уголке на белый табурет, как стала градусники протирать.

Что-то стал тихо говорить про суд, про бабку, про детство свое, а она изредка отвечала «ага» и смотрела на него глазами дивной красоты, как будто китайский каллиграф искусно кисточкой взмахнул два раза.

А потом она ушла, оставив его на ночь одного. Он долго не спал, мечтая обо всем, что принадлежит ей, а потом заснул...

Под утро, когда только ишаки и ослы уже не спят, возвещая своими криками Вселенную о пробуждении мира, она пришла к нему. Он учуял ее запах и рассмотрел в бледном утре, как она стоит перед его кроватью в ночной рубашке, в подоле которой насыпано что-то многое, и трусики на ней крохотные, намного ниже резинкой чуть выпуклого пупка.

Вспыхнули на мгновение китайские росчерки, и она отпустила подол, из которого на Кольку посыпались райские запахом плоды. И персик он учуял, и сливу, и алычу... И было много еще незнакомых дивных запахов...

А потом он почти ослеп, когда она сняла через голову рубашку с опустевшим подолом...

А потом ласкал ее крохотные грудки с остервенением первобытного монгола-завоевателя, целовал глаза, стараясь слизнуть древнюю тушь черных ресниц, сжимал сильными руками девичьи ягодицы, упрятанные в маленькие трусики, оказавшиеся двумя крошечными каракулевыми шкурками, и долго не мог совладать с этими овечками, пока она сама не дернула за невидимую нить... И овечки убежали травку щипать, а он, готовый к соитию, вымазанный пахучими фруктами, впился в сад ее губ, пытаясь сокрушить своим языком крепкие зубы, а она не давалась, выдвигая навстречу свой язычок, маленький да верткий, а он, как хитрый стратег, проигрывая на одном фланге, готовил генеральное наступление на другом, тогда как никто не собирался ему сопротивляться вовсе, просто игра природы вошла в пике, и он, остановив ее пляшущие бедра, проник во Вселенную ее плоти и в первый раз в жизни не почувствовал пустоты...

А потом они пили молоко и уже вдвоем ели пахучий хлеб. Молоко проливалось прямо в постель, а в окно уже заглядывало белое солнце.

Он опять что-то говорил, наверное, что счастлив, а она опять отвечала «ага».

А потом они не услышали топота копыт и не встревожились тем, как куры беспокойно кудахчут, потому что спали...

Майор Ашрапов прибыл к маленькой глинобитной больничке так быстро, как только резвость его коротконогого скакуна позволила.

Вошел на кривых ногах в палату, где они, голые, спали, ругнулся по-своему и щелкнул плетью.

Колька проснулся сразу, а она спала крепко, улыбаясь краешками губ во сне.

— Встэвэй! — приказал майор и еще раз выстрелил плетью.

Он, привыкший за ночь к свободе и счастью, увидев злые глаза местного участкового, как-то сразу сник. Выбрался из кровати, прикрывая стыд руками, и шепотом просил майора не будить девушку.

— Скотинэ! — обозвал майор Ашрапов зека, когда он оделся. — Пойдэм!

Колька обернулся, в последний раз посмотрел на спящую девушку и, вздохнув печально, вышел на свет Божий. Выбрался из больнички и майор Ашрапов. Здесь, на улице, он не рассусоливался, а дал сапожищем в Колькин зад, так что не ожидавший сего зек ковырнулся через голову в белую пыль лицом.

Майор замахнулся было плетью, но сдержался и заговорил громко по-казахски, воздевая грубые руки к небу. Затем вскочил на конька своего небольшого, покрутился на нем, как на необъезженном, и стреножил.

— Бэги! — приказал.

— Куда? — поднялся на ноги Колька.

— К стэнции бэги!

— А я не знаю, где станция!

— Там, — указал плетью участковый на север.

И Колька побежал. Пока были силы, вспоминал

ее, и казалось, что от чувства, поселившегося в душе, сердце слева направо перепрыгивает.

Майор Ашрапов удивлялся, как человек может так долго бежать и не падать!

Он не знал, что зек футболист в недалеком прошлом, что навыки у него пока сохранились, да, впрочем, казах и не ведал, что такое футбол.

Колька упал на шестнадцатом километре. О ней уже не думал — солнце выжгло все мысли и рот сделало сухим, а язык распухшим. Почувствовал удар плетью по спине. Небольно милиционер ударил, или у него чувствительность притупилась.

— Встэвэй! — приказал Ашрапов.

А у него нашлись силы только перевернуться на спину и посмотреть в большое белое небо.

На грудь что-то упало, и он жадно приник губами к кожаной бутыли со свежей прохладной водой. Ашрапов его не останавливал, пока брюхо не наполнилось излишне. Сам майор слез с коня и, пока зек отдыхал, осматривал окрестности в маленький театральный бинокль.

Колька улыбнулся.

Видать, это не понравилось четырехногому другу милиционера, и конек, ощерив огромные зубы, вдруг резко клюнул мордой вниз и укусил Кольку за лодыжку.

— А-а-а! — закричал тот от неожиданности, хватаясь за ногу.

Здесь майор Ашрапов спохватился, запрыгнул на свою лошадку и вновь приказал:

— Бэги!

Сейчас, с наполненным водой брюхом, бежать было особенно тяжело. Колька еле-еле передвигал ноги, а злобный казах через каждые пять минут охаживал его плетью.

— Фашист! — не выдержал Колька и обернулся.

— Сам фэшист! — разозлился майор и врезал плетью зеку по лицу. — Все русский фэшист!.. Бэги!

И он опять побежал, стараясь уклоняться от плети, а потом разглядел вдали станцию Курагыз и припустил к ней, как будто к родной.

И опять Ашрапов подумал: как этот человек хорошо бегает. Конь устал, а он...

На станции стоял состав, как две капли похожий на тот, с которого сняли Кольку. Но оказалось, что сие сцепление зековских теплушек — вновь прибывшее.

Возле локомотива припрыгивал, отдавая распоряжения, капитан внутренних войск. Делал он это нервно — вероятно, состав готовился к отходу.

— Слэшь, капитан! — крикнул Ашрапов. — Я тебе еще одного зека пригнэл!

Капитан обернулся, козырнул участковому, кивнул, показывая, что, мол, знает о подсадке, указал двум рядовым, чтобы Кольку в наручники защелкнули.

— В пятый! — приказал начальник поезда.

Колька обернулся и разглядел в клубах пыли склоненную к голове коня фигуру майора Ашрапова. Он несся во весь опор в свою степь, к своему белому солнцу, к своим курганам, в которых лежат бессрочно его гордые предки.

— Ах, звери! — деланно проговорил капитан, рассматривая располосованную плетью физиономию своего подопечного. — Дикий народец! Так, значит, футболист?

— Был, — ответил Колька.

— Звезда?

Писарев смутился.

— Скажу тебе, парень, вещь одну! — Капитан сопроводил Кольку до пятого вагона. — Хочешь — слушай, хочешь — нет...

— Я слушаю...

— Не любят у нас звезд, — сказал тихо. — Оступившихся...

— Понял, — ответил Колька.

Капитан посмотрел на него грустно и сказал:

— Доедешь нормально. В пятом мужики, трогать не станут... Что будет на зоне — не знаю!.. Ну, прощай!

Развернулся и пошел.

В пятом оказались нормальные мужики, и за пять дней стука колес Кольку не трогали, даже с расспросами не приставали.

А на шестые сутки их привезли в лагерь. Продезинфицировали по полной программе, выдали робу и маленький химический карандашик, чтобы на кармане куртки номер написать.

Лагерь был огромный, и новичков в нем отличали по синим губам. Проводили свои зековские процедуры, и в зависимости от экзаменов кто-то шел на нижнюю полку, кто-то устраивался наверху, а кто-то получал место под нарами.

Колька поселился на верхних нарах и через неделю уже работал в цеху по пошиву рабочих рукавиц, коих надо было настрочить за смену восемь пар.

Каждую неделю он с волнением писал письмо и ставил адрес на нем: Казахстан, станция Курагыз, больница...

Все было тихо, его никто не бил, начальство особо не допекало, и за три последующих месяца ни одна сволочь не поинтересовалась, кто он, какая сущность у него внутренняя. Но барак знал статью заключенного Писарева, и этого было достаточно для небольшого уважения, которое и проявлялось в неприставании к человеку.

А через полгода какая-то гнида из начальства сболтнула, что зек из девятого барака футбольный чемпион и бабки он упер у своих же пацанов. Мол, из-за этого у нашей сборной успехов на международной арене не имеется!

И вновь начались Колькины страдания.

В бараке стали часто появляться гости с одной лишь целью — выбить бывшей звезде зубы да почечку посадить. Никто за него не заступался, и через два месяца мучений перед ним встал вопрос: жить или умереть.

Раздумывал — удавиться или попросить, чтобы на другую зону перевели. Но на другой зоне его бы тоже сдали. Хотя, пока перевод — передышка вышла бы. Хотя бы мочиться кровью перестал... А там в петлю!

А потом появился узкоглазый зек и пригрозил опустить Николашку, если тот надумает жаловаться или еще что!

Колька не испугался и сказал вечно разбитыми губами, что был уже такой борзый, но смерть принял лютую.

— Бить — бейте, — согласился футболист. — Привык!.. А не с той стороны подойдете — загрызу!

— Так у тебя же зубов нету, — заржал узкоглазый.

В бараке загоготали, даже Колька заулыбался ртом, в котором осталось меньше половины зубов.

— Ладно, чемпион, — вдруг стал серьезным узкоглазый авторитет. — Пускай твою судьбу Гормон решает!..

После ухода узкоглазого старожилы барака ему объяснили, что навещал футболиста лагерный авторитет по кличке Дерсу, поживший в камере смертников за двойное убийство два года, но ему помилование вышло. А Гормон — смотрящий зоны, хоть и совсем молодой, но коронованный вор. Зону крепко держит, лют и жесток.

Единственное, что делал Колька исправно, — это отсылал на станцию Курагыз свои письма. И столько в них было намешано... А ответа все не было...

Его оставили на время в покое, и он опять потихонечку шил рукавицы, но все равно жизнь была не в жизнь, хоть и почки поправились, и синяки с лица сошли. Ждал Колька встречи с этим Гормоном и понимал, что нарочно оттягивают ее, чтобы пострашнее стало.

Прошло аж три месяца, прежде чем его позвали. За это время Колька совсем сошел с лица и стал похож на доходягу, которому осталось жизни на одну батарейку «Крона».

Жратва была не в радость, и даже самый крепкий чифирь не способен был избавить от страха.

Позвал все тот же узкоглазый Дерсу.

— Я — не казах! — почему-то сказал. — Я — монгол!

— Я — не татарин! — ответил Колька. — Я русский!

— Ты это чего? — не понял монгол.

— Ничего.

— Пошли.

И они двинулись через всю зону. Дело было под ночь, злобно гавкали служебные овчарки, и лучи прожектора то и дело пересекались на идущих. Колька шарахался в сторону, но с двух сторон его сдавливали два костлявых молчаливых мужика.

— Не рыпайся! — цыкнул Дерсу.

— Так застрелят же!

— Я им застрелю!..

За все время пути их никто не окликнул, и это было странным, как будто не зеки шли через всю зону, а лагерное начальство.

Наконец пришли.

Этот барак был самым небольшим из всех виденных Колькой строений на зоне. Сначала он принял его за административное помещение, но когда вошли, тусклый свет лампочки и привычная барачная вонь убедили его, что проживают в этом помещении такие же зеки, как он. Но вот такие же ли? Вопрос... Колька услышал музыку. Она доносилась чуть слышно из транзисторного приемника «Spidola», стоящего на тумбочке с кружевной салфеткой. Пускал пар электрический чайник, и пахло жареной колбасой, отчего слюна выделилась. Все нары были завешаны кусками материи, так что получалось подобие отдельных комнатушек.

«Вот это живут», — успел подумать Колька и получил удар под лопатку. Впрочем, не сильно его стукнули.

— Зачем? — посмотрел на Дерсу Колька.
— Просто. Больно, что ли?
— Нет.
— А ты колбасу нашу не нюхай! Не твоя!
— Не дышать, что ли?
— Борзый?
— Нет.
— Тогда глохни!

Он замолчал и стал ждать, исподволь разглядывая мужиков, которые сопровождали его до жилища смотрящего. Оба жилистые, с бесцветными пустыми глазами. Все пальцы в кольцах наколок, ручищи как лопаты.

«Душегубцы», — решил Колька, да и про себя подумал, что и сам душегубец, хоть и по самообороне.

Дерсу заглянул за одну из занавесей и что-то тихонько спросил. Услышал только ему предназначенное: «Начинайте пока без меня», — кивнул и, задернув занавеску, блеснул глазами.

Монгол сел на стул с мягким сиденьем, достал из тумбочки пачку чая грузинского и высыпал половину в алюминиевую кружку. Залил кипятком и накрыл кружку сверху миской.

— Значит, короля пидоров в поезде мочканул? — неожиданно спросил.

— Никого не трогал, — пошел в отказ Колька.

— Дяде Моте хрен оторвал?

Колька молчал.

— Язык проглотил? — поинтересовался Дерсу, приподнимая миску и заглядывая в кружку.

— А вы чего, — вдруг задал вопрос Колька, — за пидоров впрягаетесь?

Спросил и подумал, что жизни ему осталось на один взмах ножа.

— Мы за пидоров не впрягаемся! — раздался тоненький голос из-за занавески.

Она отдернулась, и Колька онемел от увиденной картины.

На нарах сидел, откинувшись на подушки с кружевными наволочками, мальчишка лет десяти с большими печальными лилипутскими глазами. Все его бледное лицо поросло белым пухом, а лоб бороздили глубокие морщины. Мальчишка был наголо выбрит, и казалось, что какая-то тяжелая болезнь гложет ребенка...

— Так вот, Гормон! — Дерсу взял кружку готового чифиря и поставил ее перед странным мальчишкой. — Так вот, Гормон, футболяка наш знаменитый! Дядю Мотю замочил да футбол страны Советов под откос пустил!

Ребенок с печальными глазами хлебнул чифиря и тихонько спросил:

— Это правда?

— Малец, — прошептал одними губами Колька.

Белесые ресницы мальчишки вздрогнули, он оторвался от чашки и посмотрел вокруг.

Почудилось, подумал и вновь хлебнул черного, как ночь, напитка.

— Малец! — чуть громче прошептал Колька.

От этого призыва Гормон закашлялся и недоуменно поглядел на присутствующих. Оторвал спину от подушек и задышал тяжело.

— Что? — не понял Дерсу. — Какой Малец?..

Колька пожевал ртом, наполняясь слюной, затем харкнул с таким усердием, что слюна пролетела через весь барак и прилипла к оконному стеклу.

— В хате плюнул! — почернел лицом Дерсу, и в его руке блеснуло лезвие.

— Осади! — заорал Гормон детским голосом и вскочил с кровати, сделавшись вдруг страшным. — Все назад!!!

— Да он же... — попытался что-то сказать Дерсу, но, еще раз услышав пронизывающее «Назад!», попятился к стене, а костистые мужики враз скрылись за занавесками.

Гормон подходил медленно и смотрел, вглядывался в Колькино лицо. Он рассматривал снизу вверх, и постепенно губы его детские растягивала улыбка.

— Дверь... — признавал он. — Культя!..

Он бросился к Кольке, раскрывая объятия, а Колька нагнулся, почти на колени встал, чтобы принять его к груди и заглянуть в глаза самого близкого друга детства.

— Малец! — вскричал он уже в полный голос. — Малец!..

— Дверь!..

Они обнимались так истово, так велико было их обоюдное счастье от встречи, что опупевший от такой невиданной картины Дерсу сам не заметил, как опустил два пальца в настаивающийся чифир...

А они все не могли оторваться — щека к щеке, гладили друг другу бритые бошки, спрашивали и отвечали: «Ты?!!» — «Я!..»

— Чего вылупился! — отвлекся на секунду Малец. — На стол накрывай, колбасу тащи!

Малец поволок за собой Кольку, и они рухнули на кровать с кружевными подушками. Засмеялись, как дети. Занавеску задернули!..

Дерсу на мгновение подумал, что и смотрящий, и футболист этот — из команды почившего в бозе дяди Моти, но ошпаренные чифиром пальцы прояснили мозги, и монгол решил, что чем меньше ты делаешь выводов, тем длиннее твоя жизнь!..

Встал и ловко принялся собирать на стол. Из-за занавесок появились костистые телохранители и безмолвно помогали. На столе появились бутылка водки, квашеная капуста, банка со шпротами и скворчащая на сковороде жареная колбаса с картошкой.

— Готово! — негромко возвестил Дерсу.

Они появились обнявшись, улыбающиеся. Но при виде Дерсу и двух молчунов Колька улыбаться перестал и напрягся.

— Не боись! Пока я жив, тебя никто не тронет! Да и когда сдохну, не боись, одной памяти обо мне страшиться будут!

Малец сел на самую высокую табуретку и налил водки, да только себе и Кольке.

— Друг мой самый близкий! — сказал мужикам и кивнул головой.

Один из молчунов подхватил бутылку и доразлил содержимое по кружкам.

— Жрите быстрее! — шикнул Малец. — Мне со своим другом наедине пообщаться охота!

Через минуту за столом остались только Колька и Малец. И общались они до самого утра самозабвенно.

— Как наши?

— Кто где...

Колька рассказал и про Лялю, и про Кишкина, и про всех остальных.

Малец сидел на табурете и, слегка закатив глаза, вспоминал что-то.

— А я Надьку отчихвостил! — вдруг признался Колька.

— Это какую такую Надьку? — вскинулся Малец.

— Ну у которой на ж..е веснушки!

— И что, правда веснушки? — засмеялся Гормон.

— Правда.

А потом Колька рассказал, как сейф из команды попер, как ему явку с повинной не зачли и показательный суд устроили...

— Зачем попер бабки? Иль не хватало?

— Не знаю, — пожал плечами Колька. — Хватало бабок... Нашло что-то...

— Вор ты, что ли, по душе?

— Не знаю...

А потом Малец рассказал про себя. Поведал, как жилось на пацанской зоне.

А на второй день после того, как откинулся, взял с сотоварищами сберкассу, менты вычислили и брали с оружием. Ранили в печень, еле выжил. Чирик получил. На зоне, уже взрослой, пятерик добавили за побег и кражу колхозного имущества.

— Как ты, — добавил. — Из сейфа председателя скоммуниздил. Только сейф открыт был, а в нем три рубля с копейками! А сам председатель рядом пьяный в дупелину спал. В зоне Адыгейской автономной короновали...

А совсем уже под утро Малец запросто сообщил, что жить ему осталось года два-три.

— Врача здесь, на зоне, отыскал, как его, эндокринолога. Он мне и приговорил, что без гормона роста произошли необратимые процессы в организме. — Малец засмеялся. — И гробик у меня детский будет.

Колька расстроился так, как давно в жизни не расстраивался. Чуть пьяный, он чувствовал свое бессилие помочь другу, а оттого печаль его была огромна.

— Найдем мы этот гормон!

— Поздно...

— Ей-богу найдем!

— Сказал, поздно!.. И хватит об этом! Спать давай! Тебе рядом приготовлено...

И они стали жить, как два неразлучных друга. Никто больше Кольку на зоне не обижал, но на предложение Гормона оставить работу по пошиву рукавиц он наотрез отказался.

— Мужиком в зоне хочу быть.

— Твое дело, — пожал плечами смотрящий зоны. — А нам в падлу работать!

Колька, закрывшись занавеской, продолжал каждую неделю писать на станцию Курагыз, надеясь на ответ. Так ему нужно было это письмо! Ах, как нужно! Чтобы дышать его строками, прижимать к груди, класть на ночь под подушку!.. Вполовину легче бы на зоне стало...

А письма обратного все не было...

Уже на четвертом году Колькиного срока Малец спросил, куда пишет друг.

— Бабульке?

— Нет, — ответил Колька и вдруг стал рассказывать о счастье мелькнувшем, захлебываясь, словно давно мечтал, чтобы его спросили.

Рассказывал о самом чудесном на земле месте под названием Курагыз, о маленькой больничке, где он встретил девушку, которую полюбил беззаветно, и хоть была между ними всего ночь одна, тысячу ночей на зоне он чувствовал ее тело рядом, запах ее фруктовый...

— На станции Курагыз, говоришь? — переспросил Малец.

— Это единственное место на земле, где мне было не пусто!..

— А девушка такая небольшая, косоглазая, вообще не говорит?

— Она говорит всего одно слово, — заулыбался Колька. — «Ага»... — и вдруг с тревогой посмотрел на друга. — Ты ее знаешь?

— Так это же Агашка! — заржал Малец. — Да все, кто по второй ходке на казахской земле, стараются под любым предлогом в больничку попасть! Агашка безотказная!

— И ты был?

— Я же говорю, безотказная! Девка глухонемая, вдобавок с мозгами что-то. Ага да ага! У нее отец местный опер, Ашрапов, капитан! Через нее тысяча зеков прошла!

— Майор! — уточнил Колька. Он был бледен, а плотно сжатые губы бескровны.

— Давно я здесь... Мент звание получил...

Малец не заметил Колькиных страданий, а тот отвернул лицо от друга и первый раз в жизни по-настоящему захотел умереть.

А еще через год, когда Колька дошагал после смены в барак, его там поджидал зам. нач. зоны гражданин полковник Полянский.

— Вот что, Писарев... — Полянский откашлялся и встал. — Твоя бабушка Инна Ивановна Писарева умерла... Вот так вот!.. — И пошел.

А Колька бросился за ним и закричал вслед:

— А хоронить как же?

— А уже похоронили, — обернулся полковник. — Собес...

Всю ночь пили, поминая Инну Ивановну, Колькину бабку.

— А я и не помнил ее имени-отчества, — признался Мальцу Колька. — Просто бабкой звал...

А еще через три месяца помер Малец, Гормон, смотрящий зоны, вор в законе и лучший Колькин друг.

Умирал он две недели и все просил Кольку затыкать ему рот, чтобы крика не было слышно. Почернел к концу, как головешка из костра. А за два часа до смерти обнял Кольку, да так и лежал до самого отхода на его груди, этакий старичок с лицом ребенка... Вскрикнул и выпустил птичку жизни... Кончился Гормон...

Провожали его в последний путь, как вождей страны провожают.

Начальство позволило всем заключенным пройти возле могилы мертвого смотрящего зоны, иначе авторитеты угрожали поднять на бунт половину исправительных учреждений России.

А поминали его пришлые воры, невесть как пробравшиеся в зону.

Жрали и пили пять дней. Поручились Кольке, что за дружбу такую огромную с Гормоном никто его до конца срока пальцем не тронет!.. На том Колька вернулся в мужицкий барак сиротой. Больше в жизни у него никого не осталось...

А вместе с новыми веяниями в стране на зоне разрешили выстроить силами заключенных маленькую церквушку. И пришел в нее служить батюшка Никодим. Матушка его умерла прошлой весной, сам он был в годах, жениться внове не собирался, а потому понес свой крест в исправительно-трудовой колонии.

Колька стал захаживать в церквушку, и казалось ему под мерное служение отца Никодима, что нет на земле более спокойного места. Пустота из души хоть и не уходила, но во время службы забывалась.

Через год Колька уже знал наизусть все литургии, и отец Никодим предложил заключенному покреститься.

Обряд произошел после работы вечером, и Колька стал христианином.

А еще через сорок тысяч пошитых рукавиц Колькин срок закончился. Ему исполнился тридцать один год, он был бородат и патлат и, выходя из зоны, уже знал, чем будет заниматься всю оставшуюся жизнь... Наполнять пустоту...

————

6.

Первое отделение закончилось. Аплодисменты были жидковаты, хотя редко когда бурно хлопают после первого.

Оркестр поднялся и потянулся к кулисе.

Вся душа Роджера еще трепетала от последнего соло. В нем было задействовано девять палочек, из них четыре уникальных — Жирнушка, Шостакович, в честь любимого композитора, Фаллос, так как палочка была сделана с утолщением на конце, и Зи-зи. Почему Зи-зи, сам Роджер не знал. Когда вылил металл в форму, остудил его, натер специальным маслом, взял двумя пальцами и нежно коснулся треугольника, получился необычайно ласковый звук, и само собой в голове выскочило: Зи-зи.

Идя по коридору, Роджер с нескрываемым презрением посмотрел на литовского артиста, танцующего Ромео. И столько было презрения в этом взгляде, что молодой человек с недлинными ногами вдруг задрожал нутром и почувствовал себя плохо.

— Парад уродов! — дал Роджер оценку в гримерной.

— И не говорите, — согласился Бен. — Ромео и Джульетта после ядерной войны!

— Ха-ха, — сказал Роджер, вытащил серебряную коробочку и, достав из нее конфетку, сунул в рот. Вместе с коробочкой он обнаружил в портфеле нераспечатанное письмо, которое прежде не видел. Удивился. Тем более что под адресом было написано по-немецки. Распечатал письмо и прочитал:

«Уважаемый мистер Костаки! Имеем честь пригласить Вас стать единственным участником оркестра музея «Swarovski». Зная Ваш выдающийся талант, мастера нашего завода приготовили из стекла уникальный треугольник, звуки которого поразили австрийских знатоков ударных инструментов. Что касается Ваших гонораров, то мы их можем обсудить по телефону. Единственное, на что могу намекнуть: они будут втрое больше тех, что Вам платили ранее!» И подпись: директор музея «Swarovski» Ганс Штромелль.

Роджер подумал над текстом с минуту, потом сказал про себя: «Чушь какая-то», — и, скомкав письмо, бросил его в портфель, как в урну.

— Знаете, почему Миша взял их сюда?

Роджер вскинул брови.

— Постановщик этого балета, в прошлом известнейший танцовщик, тоже русский, Мишин друг!..

— У русских все по протекции. Уж я знаю...

Роджер не замечал, что его концертная рубашка совершенно мокрая от пота. Это видел ударник Бен, но он никогда и ни за что не сказал бы об этом приятелю. Почему?.. Бог его знает, какой реакции ждать от товарища...

Родители Бена были людьми небогатыми, имели маленькую прачечную и от зари до зари копались в чужом грязном белье. Когда Бену исполнилось десять лет, и его пристроили к стиральному делу. Поэтому он за свое детство нанюхался таких запахов, что в сравнении с ними вонь от пота Роджера попросту не была запахом.

— Гремлины и гоблины! — произнес с чувством Роджер, когда по трансляции передали, что прозвучал третий звонок.

Перерыв закончился, и Лондонский симфонический занял свои места...

И во втором отделении игра Роджера вызывала у него самого восхищение. В одной из пауз он почему-то вспомнил о письме из музея...

Маленький Костаки позаимствовал у матери дополнительно пятьсот фунтов, купил на них небольшой микроскоп, набор хирургических инструментов и еще какие-то вещи по мелочи.

Придя домой и запершись в своей комнате, он внимательно прочел инструкцию, как пользоваться микроскопом, как наводить стекло, чтобы добиться наилучшей резкости.

Он установил прибор на стол, тщательно его настроил и направился к аквариуму с ящерицами. Сунул руку и вытащил первую попавшуюся. Она точь-в-точь была похожа на Марту, а оттого глаза Роджера наполнились слезами. Тем не менее он взял себя в руки и укрепил тельце ящерицы в специальном приспособлении, животиком вверх, чтобы зверюшка не могла пошевелиться. Всю эту конструкцию подросток установил под микроскоп, подправил зеркало и достал из медицинского набора большую иглу.

Роджер приник глазом к микроскопу и через ряд увеличительных стекол разглядел выпуклую чешуистую кожу ящерицы, похожую на шкуру огромной змеи, и методичное вздымание этой кожи. «Сердце», — понял он. Огромное сердце под цейсовскими стеклами стучало быстро, а медицинская игла казалась при увеличении дубиной.

Роджер выдохнул и воткнул иглу в бьющийся бугор. Биения тотчас прекратились, подросток быстро перевел оптику микроскопа на головку ящерицы — и все подкручивал линзы, подкручивал... Глаза, ротик... Он опять ничего не увидел. В этот день Роджер умертвил всех остальных рептилий и весь вечер сидел на одном месте с каменным выражением лица.

На следующий день он развез тушки по таксидермическим офисам.

А еще через две недели отец Себастиан вновь сел в исповедальне на что-то твердое. Он почти наверняка знал, что нащупал его зад. Вышел из полумрака и вернулся со свечой...

На скамье он насчитал восемь чучел ящериц, и к каждому была прикреплена бумажка — Марта. Восемь Март.

Ему стало не по себе, он перекрестился и почти услышал, как бьется его сердце.

Через час отец Себастиан беседовал с полицейским, показывая ему улики под общим именем Марта.

Полицейский, молодой парень с белесым лицом, искренне не понимал, что от него хочет святой отец.

— Это же вивисекция! — злился отец Себастиан.

— Я вижу только чучела, — хлопал глазами парень.

— Но до того, как они стали чучелами, мальчишка их убил!

— Кто?

— Сын миссис Костаки!

— Могу я взять это с собой, отец Себастиан?

Полицейский кивнул на чучела ящериц и, получив разрешение, собрал их в пригоршню и засунул за ворот куртки.

— Разберемся...

В гот же вечер двое полицейских навестили дом Лизбет Костаки.

— По какому поводу? — поинтересовалась Лиз.

— У нас есть основания полагать, — ответил старший, — что ваш сын может быть причастен к вивисекции и издевательствам над животными.

Она тотчас пустила полицейских внутрь, но дальше порога им мешали пройти большие женские бедра.

— Какие у вас доказательства?

— Заявление отца Себастиана, — ответил белесый, по званию и по возрасту младший из пришедших.

Лизбет кивнула и развернула бедра на сорок пять градусов, давая возможность полицейским пройти.

— Его комната в дальнем конце дома. Я вас провожу.

У Роджера было, как всегда, заперто.

— Сын! — позвала Лизбет. — К тебе полицейские!

Он открыл почти сразу, как будто ждал официальную делегацию, и в его лице служители закона не обнаружили и тени испуга. Зато на столе был найден микроскоп и окровавленные инструменты.

— Что это? — спросил старший патруля.

— Я порезался, — объяснил подросток и показал палец, заклеенный лейкопластырем.

— Можно снять повязку? — поинтересовался полицейский с белесым лицом.

— Подите прочь! — выдавила Лизбет, и Роджер подумал, что мать уже хороша тем, что защищает свое дитя.

— Вот что мы имеем! — младший патруля вытащил из-за пазухи сверток и раскрыл его, показывая женщине чучела ящериц. — Вот доказательства!

— Подите прочь! — еще раз жестко произнесла Лизбет. — Это частная собственность, и без ордера вам здесь делать нечего!

— Мэм, у нас будет ордер!

Она хлопнула дверью с такой силой, что чуть было не вылетел косяк...

Перед сном она пришла к сыну. Он лежал в постели с закрытыми глазами, но мать чувствовала, что сын не спит.

— В последнее время ты взял у меня много денег.

— Я не брал у тебя денег, — сообщил Роджер, не открывая глаз. — Деньги это не твои, а моего дедушки, значит, деньги наши общие.

Лизбет подумала и сказала, что согласна.

— Ты нашел, что искал?

— Нет, — признался подросток. — Зато меня теперь не пугает смерть. Это что-то мгновенное...

Он открыл глаза и долго смотрел на мать. А потом с ним случилась истерика. Его трясло, как при лихорадке. Он выл по-собачьи и извивался всем телом.

Лизбет сидела и смотрела на сына с каменным выражением лица, а он все выл и извивался змеей, пока наконец силы не оставили его.

«Она сильнее меня», — подумал обессиленный Роджер, прежде чем провалиться в черный, без сновидений, сон.

Через два дня несколько лондонских газет вышли с заголовками: «Подросток — вивисектор», «Маленький живодер». Или, например, такой, в стиле вестерна: «Роджер — истребитель ящериц»!

Вероятно, Скотленд-Ярд умышленно допустил утечку информации.

Читателю этих статей становилось понятно, что

сыщикам не составило большого труда справиться в зоомагазинах города о тех, кто покупал ящериц оптом, затем они отыскали все таксидермические конторы, где им и подтвердили, что смерть животных произошла насильственным путем. Причем в каждом отдельном случае ящерица умерщвлялась оригинальным способом. И еще они доказали, что и покупателем в зоомагазине, и клиентом таксидермистов было одно и то же лицо, а именно Роджер Костаки.

Вечером в дом Лизбет пришел полицейский наряд.

— Мы с ордером, мэм, — развернул бумажку старший полицейский.

Вместе с законниками порог дома переступила женщина в больших роговых очках и с очень высокой прической. Ротиком гузкой она сообщила, что в ее задачу входит временное опекунство над подростком и сопровождение оного в специальный приют, где будет проводиться дознание.

— Ты меня им отдашь? — спросил Роджер, глядя матери прямо в глаза.

— Они тебя забирают силой, — ответила Лизбет. — Но я тебе обещаю, что не пройдет и суток, как ты окажешься дома. У тебя послезавтра урок музыки!

Роджер кивнул, надел пальто, сунул руки в карманы и, не оглядываясь, быстро направился прочь из дому. Полицейские и патронесса еле поспевали за подростком, который самостоятельно открыл дверь полицейской машины и уселся в нее, словно в такси...

Как только автомобиль отъехал, Лизбет тотчас связалась с одним из лучших адвокатов Лондона мистером Биу и наняла его защищать своего сына.

Утром следующего дня мистер Биу находился в следственном изоляторе, где беседовал со старшим полицейским чином округа.

— Что инкриминируется моему подзащитному? — поинтересовался мистер Биу и пыхнул тысячефунтовой трубкой.

— Об этом весь город говорит! — ухмыльнулся чин.

— Моя клиентка хочет уведомить вас, что немедленно подает в суд на полицию вашего округа за утечку информации!

Чин хотел что-то ответить, но мистер Биу пустил трубочную струю такой плотности, что в табачном дыму что-то сказать было чрезвычайно сложно.

Чин подумал, что у адвоката кончики сенбернаровских усов желтые наверняка от курения. Такие долго не живут, хотя живут богато...

— Не хочу доводить дело до суда, дабы не подрывать вашу репутацию! — мистер Биу порыскал во рту полными пальцами и выудил из него табачинку. — Полиция не располагает доказательствами против моего подзащитного!

— Как же, как же! А таксидермисты?

— И что? Они подтвердят лишь факт заказа.

— Зоомагазин?

— Факт покупки.

— Кровь на инструментах.

— Есть данные экспертизы, что она принадлежит убиенным ящерицам? — Мистер Биу улыбнулся, демонстрируя чудные ямочки на своих полных щеках.

— К сожалению, нет, — признал полицейский чин. — Доказательства были уничтожены прежде, чем был получен ордер. Но есть показания полицейских.

— Мальчик сказал, что кровь его.

— Да-да, — признал визави. — Доказательства только косвенные. Но есть у нас и свидетель!

— Убиения? — вскинул причесанные брови мистер Биу.

— Намерения убиения.

Адвокат фыркнул.

— Кто же это?

— Отец Себастиан, — победно произнес полицейский. — Священник.

— Ах, этот... Сейчас он находится у епископа... Вероятно, он будет примерно наказан за разглашение тайны исповеди. Вряд ли ему позволят свидетельствовать в суде! Ничтожная вероятность!..

Полицейский задумался. Взял лицо в руки и сидел так минут пять.

— Покончим дело миром? — предложил мистер Биу.

— В этом случае ваша клиентка не станет подавать на нас в суд?

— Клятвенно обещаю вам это.

Высокий чин снял телефонную трубку и велел привести Роджера Костаки.

Мистер Биу поднялся, пыхнул на прощание трубкой, сказал, что приятно иметь дело с умными людьми, протянул для пожатия пухлую ладонь и отправился поджидать своего подзащитного...

Обедал Роджер дома.

Через четыре месяца несколько газет сделали солидные выплаты по судебным искам на банковские счета миссис Костаки. Также на первых полосах они напечатали опровержения статей о якобы имевшем место случае массовой вивисекции...

На том все успокоилось, если не считать почты из Букингемского дворца. В послании, подписанном секретарем Ее Величества, говорилось о том, что

Лизбет Ипсвич и ее сын Роджер Костаки ведут чрезвычайно странный образ жизни. Королевские протеже не могут быть замешаны в публичных скандалах, даже если они спровоцированы третьей стороной... Далее шла собственноручная приписка королевы: «Милочка, никогда не делайте книксенов!»

Монаршее письмо было сожжено в камине...

В один из весенних дней, когда Роджеру исполнилось пятнадцать лет, с Лизбет созвонился профессор музыки из русских эмигрантов, некто Гаврилофф. Он попросил миссис Ипсвич о личной встрече, согласие на которую получил тотчас.

Пожилой русский был невероятно высокого роста и столь же невероятной худобы. Костюм его казался коротким, открывая голые ноги выше носков. У Гаврилофф были печальные глаза беспородного пса, зато нос имел такую линию изгиба, перелома, что какой-нибудь родословно богатый тевтонец наверняка умер бы от зависти и желания иметь такой орлиный орган обоняния.

Профессор приступил без обиняков, как будто готовился к разговору несколько лет.

— Вероятно, я заслуживаю порицания, — вздернул клювом Гаврилофф. — Но боязнь и одновременно надежды на чудо останавливали меня от этого сообщения...

— Говорите, пожалуйста, яснее! — попросила Лизбет.

Профессор кивнул, но пауза продлилась долго. Лизбет выдержала.

— Дело в том... — наконец решился Гаврилофф. — Дело в том, что вашему сыну недостает музыкального слуха!

Он произнес эту фразу даже с некоторым чувством удивления, словно Роджера лишь вчера проэкзаменовали и сейчас приходится сообщать его мамаше сию новость.

— Почему вы говорите мне это теперь, а не девять лет назад?

— Ах, я старый дурак! — сокрушался профессор. — Поддался на уговоры мальчишки!.. Но ведь он так просил! Он умолял меня, чтобы я его не выдавал, клялся, что не представляет жизни без скрипки! Ему хотелось играть великого Шостаковича, и я, старый болван, рассчитывал, что слух у мальчика разовьется, такое бывает, и чрезвычайно часто.

— Развился?

— Нет, — по-детски ответил Гаврилофф.

— Вы лишили моего сына будущего, — очень спокойно произнесла Лизбет.

— Я понимаю, — сокрушался русский. — Я верну вам все деньги!

— Вы получили наследство?

— Я понимаю...

Неожиданно профессор вскинулся, отчего брюки его задрались до самых колен.

— Но ваш сын обладает необыкновенным чувством ритма и тонким пониманием благородного звука!

— Что это означает?

— Он мог бы без особого труда овладеть группой ударных инструментов! Его возьмут в любой оркестр с таким уникальным чувством ритма!..

— Спасибо, — ответила Лизбет и вышла из класса.

Вечером у нее состоялся разговор с сыном.

— Знаешь ли ты, что у тебя отсутствует слух?

— Насколько я помню, — ответил Роджер, — ты

говорила, что в семье никто не мог спеть даже «Боже, храни королеву»!

— Зачем же ты на протяжении стольких лет тратил время попусту?

— Я люблю музыку.

— Ну и ходил бы на концерты! Я вложила столько денег в твое обучение!

— Мы вложили!

— Чем же теперь ты будешь заниматься?

— У меня исключительное чувство ритма, — сказал Роджер и почесал щеку, раскорябывая маленькие прыщики на коже.

— Профессор говорил.

— Я буду играть на треугольнике!

Лизбет глянула на сына внимательно, пытаясь понять, не издевка ли его слова. Но Роджер был очень серьезен, продолжал, не замечая, царапать щеку и смотрел в окно, как в собственную душу.

— Я сам создам себе инструмент! — с верой произнес подросток. — Он будет великолепен!.. Я соединю металлы и добьюсь ангельского звука!

Лизбет смотрела на сына и не узнавала его. Впервые он говорил искренне, с таким воодушевлением, которого она и подозревать в нем не могла.

— Лучшие оркестры мира будут наперебой приглашать меня! — продолжал Роджер. — А композиторы станут создавать для треугольника сольные партии!.. Я выведу этот инструмент на высочайшие рубежи! И имя свое я прославлю в веках!

Позже, уже лежа в кровати перед сном, Лиз анализировала эмоциональный всплеск сына и признавала, что сие амбициозное устремление Роджера — первое в его жизни. Уж не выплеск ли это гормонов? — задалась она вопросом.

На следующий день Костаки попросил отпереть

закрытые за ненадобностью комнаты, сказав, что займет их под лабораторию.

— Смотри, чтобы дом не сгорел, — подтрунивала мать.

— Ничего не обещаю, — отвечал Роджер.

«Ишь, и чувство юмора откуда-то взялось!» — отметила Лиз.

Но ответ подростка вовсе не был шуткой. Роджер не исключал возможности, что дом может и сгореть.

Далее сын затребовал колоссальную сумму денег и на удивление матери объяснил:

— Я прошу не на развлечения, а на лабораторию!

— Такая большая лаборатория? — подтрунивала Лизбет.

— Представить список оборудования?

— Не обязательно. Чек устроит?

Роджер кивнул.

— Хочешь, вычти эти деньги из моего наследства!

— Это благородно...

В течение последующих двух недель Роджер собрал по всему Лондону каталоги фирм, торгующих сталелитейным оборудованием. Он обзвонил все поочередно и сделал необходимые заказы.

Пока дом заполнялся огромными коробками, Костаки штудировал толстенную книгу «Сталь и ее сплавы». Он глотал это скучнейшее сочинение запоем, будто какой-нибудь детективный роман. Попутно у него возникали вопросы к автору, но тотчас он сам давал на них ответы, записывая какие-то мудреные формулы в тетрадь.

Лаборатория обрастала необходимым оборудованием, а Роджер в это время встречался с какими-то индусами, секретничал с ними, ругался, передавал деньги.

Однажды он заявил матери, что срочно отправляется в Индию, и отбыл, несмотря на все протесты Лизбет: «Без прививок и провожатого!..»

Мать была права. На четвертый день пребывания в Дели Костаки заболел малярией и провалялся в какой-то тухлой гостинице почти четыре недели. Все это время к нему приходили разные грязные люди и чего-то требовали.

Выздоровевший подросток походил на фонарную тень, а ладони его принялись потеть еще более. Зато Костаки получил за сорок тысяч фунтов упрятанные в специальный контейнер пять граммов радиоактивного бериллия.

Безо всяких проблем он доставил контрабанду в родной Лондон и поместил ее в своей лаборатории.

Следующий этап оказался чрезвычайно легок. Подросток купил в ювелирном квартале у евреев слиток серебра в четыреста граммов, слиток платины — небольшой — и кусок мельхиора. Евреи были довольны сделкой...

Роджер изготовил формы для плавки. Позже он рассказывал, что конфигурации пришли к нему ночью во сне.

Лизбет молилась за сына и все чаще посещала церковь Святого Патрика...

Он назначил первую плавку в ночь на Рождество, хотя ничего мистического в этом не усматривал. Просто решил сделать дело в праздник, чтобы никто к нему не приставал.

Он вошел в лабораторию, когда на небо выкатилась первая звезда. Осмотрел свой маленький сталелитейный заводик, и глаза просияли гордостью, особенно когда пробежали по миниатюрной, в сравнении с настоящей, доменной печке.

Он надел жаростойкие перчатки, провел ими по

щекам, оставляя на материи кровавые точки от прыщей, глубоко вздохнул и начал плавку.

Если бы кто-то мог посмотреть на Роджера со стороны, то наверняка сравнил бы его с магистром черной магии, стремящимся превратить обыкновенное вещество в золото. Металлург определил бы в подростке своего коллегу, столь точны были движения Костаки, а физики-атомщики непременно бы заподозрили юношу в проведении какого-то ядерного эксперимента. А на кой черт ему иначе разгонная установка!

К полуночи, когда все фейерверки страны готовы были взлететь в небеса, Роджер выпустил из печи тоненькую струйку металла, которая слегка охладилась, приняла форму треугольника и вползла в разгонную установку, заряженную бериллием.

Уже через шесть минут металл выполз на свет Божий вновь, и на него тонкой пленкой пролилась смесь платины и серебра. Огненный треугольник скатился в специальную ванну для остужения, сплав грозно зашипел, и в небо вознеслись многоцветной лавиной праздничные фейерверки.

Наступило Рождество.

В эти праздничные дни Роджер трудился не покладая рук. После треугольника он выплавил первую ударную палочку, которая получилась излишне большой в диаметре, и пока доводил ее бархоткой до ума, придумал имя: Жирнушка. А потом и другие палочки на свет появились...

Тридцать первого декабря, когда стемнело, Роджер опробовал треугольник. Все члены его организма тряслись от волнения, Жирнушка то и дело выскальзывала из потных ладоней. Он протер руки спиртом, взял палочку столь крепко, что кровь ушла из пальцев, задержал дыхание и дотронулся

Жирнушкой до треугольника. Он лишь дотронулся, едва коснулся, а звук родился непостижимый. Такая в нем была глубина, такие его оплетали оттенки, что Роджер замер на всю длину звука, как будто он не его родитель, а лишь слушатель случайный...

А потом он два часа играл на треугольнике.

Лизбет, все праздники проведшая в одиночестве, сейчас, в канун Нового года, сидела перед камином и слушала необыкновенную музыку. То капель ей весенняя чудилась, то колокольный перезвон, то птичье пение... Она слушала, и ей казалось, что слезы текут из глаз. Провела ладонью по щеке: было сухо. Она так была горда за сына, что сознанием хотела заплакать, а сердце, хоть и трепетало, слез не рождало... А он все играл и играл!

А потом Роджер, закончив играть, сказал себе: «Я гений», — достал из холодильника гуся и засунул его в остывающую печь.

Он явился перед матерью, худой, чумазый, с горящими глазами и подносом со сгоревшим гусем в руках.

— У тебя получилось? — спросила мать.

— Да, — ответил Роджер и поставил поднос на стол.

Лизбет села и принялась поедать в честь сына угли.

— Что ты делаешь? — удивился Роджер.

— Я ем праздничного гуся, — ответила мать.

— Это — угли!

— Разве? — деланно удивилась Лиз. — А я и не заметила...

Тогда он тоже сел за стол и, отломив от гуся кремированную ногу, погрузил свои зубы в угли.

Так они сидели молча и ели. В той новогодней трапезе они впервые достигли полного душевного единения...

А потом их обоих всю ночь рвало, и в этом тоже было единство — физиологическое...

Уже через год Роджера пригласил на ставку Национальный финский симфонический оркестр.

Финны, хоть и не хватали звезд с неба, но все же были крепким коллективом. А если учесть еще то, что они пригласили в свой оркестр подростка, которому не исполнилось и восемнадцати, то контракт Роджера и вовсе был чрезвычайным событием.

Душа Лизбет разрывалась от предстоящей разлуки с сыном, но ни единым словом, ни выражением лица она не выказала мук своему Костаки и отпустила его с Богом на край земли.

Он уезжал ранним утром, почти ночью, и она, не спавшая ни часа, вдруг уснула накрепко, а он, не разбудив ее, уехал. Написал на клочке бумаги: «Прощай», — и был таков...

На английском финны говорили со смешным акцентом. Администратор оркестра встречал подростка в аэропорту и долго жал руку новому оркестранту. Рука Роджера почти сочилась потом, так как самолет попал в зону турбулентности и болтанка изрядно испугала всех пассажиров.

«Я ведь не боюсь смерти», — думал Роджер, но, предположив ее рядом, почувствовал сердце стучащим, а желудок забродившим.

«Словно налима схватил», — подумал администратор, страстный рыболов, пожимая руку молодому музыканту.

Костаки отвезли в «Интер-Континенталь», где за ним был зарезервирован двойной номер.

— Это пока, — успокоил администратор Арви. —

В дальнейшем подберете себе квартиру по вкусу. Завтра в оркестре выходной, можете посмотреть город, а во вторник к одиннадцати часам ждем вас. Театр прямо за углом отеля...

На прощание Арви новичку руку жать не стал, вежливо кивнул и отбыл на лифте.

Конечно, Роджер назавтра не пошел смотреть город, а решил провести весь день в отеле. Заказал много еды в номер, включил телевизор и смотрел американские фильмы на финском языке, получая от этого удовольствие.

К вечеру он позвонил в Лондон.

— Ты проспала! — констатировал Костаки.

— Да, — ответила Лизбет.

— Тебе надо худеть, иначе ты все время будешь хотеть спать.

— Да-да, ты прав...

— Хотя, — подумал вслух Роджер, — может быть, спать много тоже хорошо. Повышается шанс умереть во сне!..

На этих словах Костаки повесил трубку, не оставив матери своего номера телефона...

На следующий день он прибыл в оркестр. В начале репетиции дирижер поднял всех музыкантов, и они аплодировали новичку. Так положено, и это приятно.

Репетировали Шостаковича... Когда Роджер в первый раз коснулся треугольника, все, кто мог из музыкантов, обернулись или скосили глаза. А дирижер просиял всей физиономией.

Именно тогда, на первой репетиции, молодой музыкант прочувствовал несоответствие партитуры духу великого композитора. От значка легато его всего скособочило, и когда повторяли цифры, он на свой страх и риск сыграл стаккато.

На него тотчас оборотился дирижер со смешным именем Юкка, но только лишь оборотился, оркестр не остановил.

Уже после репетиции пожилой Юкка на паршивом английском спросил Роджера о допущенной ошибке.

— Вы заметтили ее?

— Мне кажется, — ответил Роджер, — я даже уверен, что это не моя ошибка! Что в партитуре допущена опечатка! Я ощущаю это всем своим организмом!

— Вот кааак? — пожилой Юкка пожевал губами, поводил глазами с остатками голубого. — Что ж, кроме нас с вами, ниикто эттого не заметит! Играайте как хотите!

И пошел, приговаривая: «Ошипка в партитууре!»

Роджер прожил в Финляндии девять лет. Ему неожиданно понравилась эта маленькая страна с огромным количеством великолепных озер и апатичными людьми, которые совсем не лезут тебе в душу.

«Страна с малым темпераментом», — окрестил Финляндию Роджер.

За девять лет он всего лишь раз посетил в отпуске Лондон, и то в первый год работы.

Он нашел мать несколько изменившейся. Она похудела, волос на голове стало пожиже, а уменьшившееся в объемах лицо все равно казалось лишь сократившейся в размерах задницей.

— Ты больна? — поинтересовался Роджер.

— Нет, — ответила Лизбет...

Он вновь уехал в свою Финляндию, где продолжал с упоением играть на треугольнике.

А потом в его жизни появилась Лийне.

Валторнистка, на пять лет старше Костаки. С тяжелой нижней частью тела, с белым, как известь, лицом, почти без ресниц, она восторгала Роджера своим уродством. Лишь позже он понял, что Лийне напоминает ему мать, только Лизбет черноволоса, а валторнистка бела головою, как одуванчик.

Она учила его финскому языку, показывала исторические уголки Хельсинки. Однажды, купив за бешеные деньги бутылку «Столи», разлила ее по стаканам и угостила Роджера.

Он выпил впервые, определив для себя, что алкоголь — дрянь! Он совсем не опьянел, чего нельзя было сказать о Лийне. Девушка стукалась бедрами обо все углы и кидала на Роджера недвусмысленные взгляды.

А он не понимал этих призывных глаз.

А она еще выпила и принялась раздеваться. Споткнулась, снимая юбку, чуть было не растянулась на ковре. Засмеялась и стащила через голову свитер.

Роджер сидел в кресле и смотрел на обнажение валторнистки с интересом. Он впервые видел, как женщина раздевается, но ничуть не выказывал смущения или неловкости. Наоборот, он устроился в кресле поудобнее и подложил под щеку ладонь.

Грудь Лийне была подарена природой огромная. С едва окрашенными сосками, слегка смотрящими вниз, грудь была продукцией хлебной фабрики, и пока ее хозяйка пыталась освободиться от нижнего белья, колыхалась и тряслась, угрожая смести со стола и бутылку «Столи», и декоративную статуэтку. Еще раз споткнувшись, девушка сделала шаг в сторону и правой грудью, словно свежим тестом, влепилась в физиономию Роджера, опять засмеялась пьяно, попятилась назад и, наконец освободившись от панталон, рухнула в кровать, где немедленно отключилась, оставив открытым для дыхания рот.

Еще некоторое время Роджер продолжал оставаться в кресле, вспоминая щекой пощечину женской груди, затем встал и подошел к кровати со спящей валторнисткой.

Конечно, он был знаком с обнаженным женским телом. Пару раз проглядывал журналы с определенной спецификой, впрочем, остался равнодушным, да мать иногда попадалась неглиже.

Сейчас же он рассматривал Лийне с особым интересом. Его удивило, что в лоне девушки почти нет волос, а те, которые он разглядел, были бесцветными и не прятали запретный вход кудряшками, как это было, например, у Лиз.

Роджер осторожно взял девушку за ногу, ощутив тепло горячего хлеба, и слегка отодвинул ее, чтобы облегчить лицезрение лона.

В его действиях не было ничего сексуального. Уставившись в самое девичье сокровенное, он пытался вообразить себя рождающимся, но картина выходила престранная и нереальная... Он рассмотрел крошечные волоски, идущие дорожкой от лона к пупку, в котором обрывок красной ниточки лежал. Как он туда попал?..

Затем он с огромным трудом перевернул валторнистку на живот и явственно увидел на месте ягодиц материнское лицо. Закрыл на минуту глаза, а когда открыл, обнаружил перед собой огромную снежную задницу. От испуга, что примерещилось лицо матери, Роджер рассердился и что было силы шлепнул по обнаженным окорокам финки потной ладонью.

Она с трудом перевернулась вновь на спину, разлепила глаза, отметила себя совершенно голой и спросила:

— Роджер, мы можем теперь быть на «ты»?

— Конечно, — великодушно разрешил Костаки.

— Тебе было хорошо? — спросила девушка, скромно потупив пьяный взор и укрыв ладошкой самое сокровенное.

— Э-э-э... — задумался Роджер и, ответив: — Пожалуй, что хорошо, — решил оставаться девственником навсегда.

В этом его решении не было юношеского максимализма или чего-то сокрытого от него самого, латентного, просто ему отчаянно не нравились половые органы, как у женщин, так и у мужчин. Раздражали его и первичные половые признаки животных. Костаки ощущал себя слишком утонченным, а потому асексуальным, но в каком-то научном журнале прочел, что отсутствие сексуального желания есть отклонение от нормы, либо физиологическое, либо психологическое. Или то и другое вместе. Из этого же журнала молодой человек почерпнул знания о главном мужском гормоне, который делает мужчину способным размножаться и быть умным.

На размножение Роджеру было плевать, но никак не на свой ум.

Уже на следующий день после прочтения статьи Костаки явился в медицинскую лабораторию, где сдал все анализы для установления гормонального статуса.

Через неделю ему дали ответ.

Молодой врач с глазами маньяка за стеклами очков сказал Роджеру, что ему бы самому такой высокий гормональный статус!

— Поди, всех баб в городе!.. — врач сделал неприличное движение с помощью пальца и заулыбался.

Роджер решил, что «маньяку» будет приятен его положительный ответ, а потому скромно сказал:

— Да.

На том и расстались.

Он все чаще проводил время с Лийне и как-то раз, осенью, осознал, что их отношения длятся уже семь лет. С помощью «Столи» ему все время удавалось обманывать валторнистку. Ей хватало пятидесяти граммов, чтобы отключиться. Тогда Костаки раздевал ее догола и смотрел, как большая обнаженная женщина спит. Он знал, что через полчаса она пробудится, а потому ложился рядом и, как только она открывала свои безресничные глаза, говорил ей на ухо, что она была прекрасна!.. Семь лет...

Финку радовали эти признания. Чтобы доставить удовольствие любовнику, она отвечала, что он тоже прекрасен, что ей очень повезло с мужчиной-англичанином, так как финские парни в основе своей как плохой мотоцикл: если и заводятся, то не едут!

Оставаясь одна, Лийне чувствовала себя неудовлетворенной физически, и ей было стыдно за свои томливые желания ниже пояса, так как она приписывала их своему ненасытному лону, голодному, как у бешеных женщин.

Наконец она сходила к доктору, который осмотрел ее и сказал, что не видит следов ее сексуальной жизни.

— Никаких!.. Вы пьете? — поинтересовался гинеколог после осмотра, держа в руках анализы.

— Что вы, — обиделась Лийне. — Я играю в симфоническом оркестре!

— Совсем не пьете?

— Совсем, если не считать пятьдесят граммов три раза в неделю. Но это такой мизер! Говорят, для сердца хорошо!..

— Судя по анализам, ваша печень вообще не способна перерабатывать алкоголь. Вы должны пьянеть и от пятидесяти граммов. У вас есть постоянный мужчина?

— Есть, — с гордостью ответила валторнистка. — Он — англичанин!

— Как часто вы имеете с ним сексуальные контакты?

— Три раза в неделю.

— Могу я с ним поговорить? — поинтересовался доктор. — Это необходимо для вашего здоровья.

— Что-то серьезное? — испуганно заморгала Лийне.

— Нет-нет.

— Хорошо, я попытаюсь...

Роджер посетил гинеколога, который безо всяких обиняков спросил, как англичанину удается обманывать женщину, убеждая ее, что она имеет хороший секс, когда им и не пахло?

Костаки рассмеялся и рассказал о финской девушке, которая пьянеет от пятидесяти граммов водки и хочет иметь с ним любовные отношения. Ему же вовсе не нравится ее тело, хотя как человек она вызывает у него любопытство и некую привязанность.

— Не могу проанализировать, чем Лийне меня привлекает! — признался Роджер.

— У нее могут быть необратимые гормональные изменения, — предупредил гинеколог. — Либо отпустите ее, либо будьте мужчиной.

От этих слов Роджер почернел лицом. Он скрипнул зубами и дерзко ответил врачу, что не его дело советы давать, когда особенно не просят!

— Хотя бы не делайте из нее алкоголичку! — принял удар гинеколог. — У Лийне печень не справляется с алкоголем!.. Может быть, у вас член маленький? Или вы гомосексуалист?.. Поможем!

Роджер ничего не ответил, еще более почернел и вышел из кабинета вон.

Вечером он проверил размеры своего полового органа с помощью палочки «Фаллоса», приставив ее к члену. Пятнадцатисантиметровая палочка была короче на треть. Роджер зло расхохотался...

В конце недели состоялось объяснение.

— Значит, ты меня все это время обманывал? — рыдала Лийне.

— Я не люблю тебя, — ответил Роджер и щелкнул ногтем по треугольнику.

— Зачем же ты... — задыхалась валторнистка. — Зачем ты меня мучил?

— Разве я сделал тебе что-то плохое? — вслушивался в протяжный и глубокий звук Костаки.

— Ни разу за семь лет!.. Ты меня спаивал!.. Я, как дура!..

От осознания столь глобального времени, от его бездарной потери финка зарыдала совсем в голос.

— Ты меня раздевал!.. Извращенец!.. Что ты делал, когда я была беззащитна?!!

— Я наслаждался тобой... Глазами...

— Доктор сказал, что ты не можешь наслаждаться моим телом, потому что оно тебе противно!!! Семь лет!!!

— Я наслаждался уродством!

— Ах! — вскрикнула Лийне и бросилась лицом в подушки. — Садист! Садист!

— Уродство может быть совершенным, как и прекрасное! — Роджер сел рядом с валторнисткой и положил влажную ладонь на ее полное плечо. — Какая разница, чем наслаждаться?.. Я тебя не люблю, но испытываю некую тягу к тебе. Это как стрелка компаса стремится к северу. Может быть, ей не хочется, а она стремится!

Он смотрел в окно на ратушу а она лежала и всхлипывала. Через полчаса, когда пробили куранты, Лийне спросила:

— Ты перестанешь со мною общаться?

— Нет, — успокоил ее Роджер.

— Я тебя люблю! — призналась женщина.

Теперь он замолчал надолго и все думал о партитуре Шостаковича, убеждаясь, что там стаккато и никаким легато не пахнет! За семь лет он убедился в этом окончательно.

— У тебя есть другая женщина?

— Что ты имеешь в виду? — очнулся от размышлений о партитуре Роджер.

— У тебя есть женщина, с которой ты спишь?

— Я ни с кем не сплю.

— Как это? — удивилась финка.

— У меня нет в этом потребности.

— Правда? — вскинулась Лийне. Глаза ее горели. — Может быть, мы вылечим тебя?

— Я ничем не болен!

Роджер стал раздражаться и водить по прыщавым щекам ногтями... Лийне подумала и сказала:

— Я тоже могу жить без секса... Но хотя бы иногда...

— Я не запрещаю тебе встречаться с мужчинами! — зашипел Роджер. — Ты не моя собственность, и мне наплевать, с кем ты будешь проводить ночи!

— С тобой! — вскричала женщина и обняла Костаки за шею. — С тобой! Я же люблю тебя! Ты же мой самый родной!.. Хочешь, поедем в Россию?

Роджер поперхнулся.

— Куда?

— Это недалеко от границы. Час на вертолете. Я состою в обществе «Дружба с Коловцом»!..

— Что это?

Роджер попробовал слово на язык и не смог его выговорить.

— Коло... венц...

— Коловец, — поправила Лийне. — Это остров в Ладожском озере. На нем православный монастырь. Там живут монахи. Они обходятся без секса долгие годы. Всю жизнь! Поехали! Я тоже научусь!

Костаки был удивлен таким странным предложением и одновременно такой жертвенностью финки. Еще Роджер почувствовал, что он боится России, но не из-за ее дикости, а из-за того, что страна является родиной великого Шостаковича.

— Поедем?

— Может быть, на следующий год... — ответил он нерешительно.

— Почему не сейчас?

Роджер погладил подругу по голове и пообещал найти Лийне парня, чтобы ей не так тяжело было ждать следующего года.

— А там, в русском монастыре, тебя научат! — улыбнулся Костаки...

Она почувствовала себя плохо уже через восемь месяцев после отъезда сына. Иногда по утрам носом шла кровь, и такая слабость охватывала весь большой организм, что Лизбет оставалась в кровати до вечера. Ничего не ела, одна мысль о пище могла вызвать рвоту.

Она подумала, что, может быть, беременна, и расхохоталась от такого глупого предположения. Проговорила вслух вопрос: «Может быть, мой старый Костаки меня посетил ночью»? — и долго смеялась.

Потом как-то причесывалась и заметила, что клок волос на расческе остался.

И как раз Роджер приехал в отпуск.

— Ты больна? — спросил он.

— Нет, — ответила Лизбет.

Более сын не интересовался здоровьем матери, а проводил все время на своей половине дома.

Одним утром вышел к завтраку, но ни овсянки, ни матери на кухне не обнаружил.

Лизбет лежала в кровати с открытыми глазами, а из крупного носа струйкой сбегала на белое кровь. Он сел на перину, сложил влажную ладонь ковшиком и приставил к кровавому ручейку, ловя его... Кровь остановилась, когда ковшик наполнился до краев. А он не знал теперь, что с ней делать, с этой жидкостью! Вылить в раковину?..

Чтобы не расплескать, ступал осторожно. Пришел в детскую свою комнату, размахнулся ковшиком и окрасил стены кровавыми брызгами.

Через два дня Лизбет стало лучше, и мать по утрам потчевала сына овсянкой с липовым медом.

«Она стареет», — подумал Роджер, глядя на материнскую голову с поредевшими волосами. Неожиданно он вспомнил, как боялся, что мать, умерев, попадет к нему в мозги и устроит в них ад. Костаки улыбнулся. Сейчас он не боялся смерти матери и знал наверняка, что ад — в ее голове, что он никоим образом не может перейти к нему... С ее смертью ад пропадет вовсе!..

А потом он уехал в свою Финляндию...

Лизбет обратилась к врачу по поводу своего недомогания. Сделала она это впервые за последние лет пятнадцать, а потому на больницу смотрела с любопытством. Очень интересным ей показалось взятие крови из вены. Когда медсестра поднесла шприц к ее предплечью, у Лизбет пошла кровь носом. Женщина заулыбалась и сказала медичке, что теперь не обязательно протыкать кожу руки.

— Берите, сколько надо, из носа! — предложила Лиз.

Медсестра посмотрела на нее как на ненормальную, но ее предупредили, что эта дебелая женщина жертвует на больницу огромные средства. Велено было вести себя с ней как с королевой... Медсестра соорудила на личике добрую улыбку и ловко попала иглой в вену Лизбет. Теперь у Лиз было три ватных тампона. Два в носу, а третьим она зажимала ранку на голубой венке.

— Вы можете прилечь здесь, — предложила сестра, улыбка которой смазалась с лица, как помада с губ, и стала кривой. — Пока полежите, анализы будут готовы...

Лизбет прилегла на кушетку и подумала, что надо зайти в церковь Святого Патрика исповедаться. Уже несколько лет там служил отец Себастиан, когда-то обвинявший ее сына в вивисекции. Она зла не помнила, тем более церковь Святого Патрика стала для священника понижением в его карьере. А он ее и не помнил вовсе!..

Вместо сестры в кабинет пришел доктор Вейнер, который скользнул взглядом по пациентке буднично, затем что-то в душе у него коротнуло разызолированными проводами, он резко повернулся к лежавшей на кушетке женщине и всмотрелся в ее лицо.

— Вы?!! — воскликнул он.

Она не поняла столь эмоционального выплеска доктора, отнесла сие на счет благотворительности, скромно потупила взгляд и ответила:

— Я.

— Вы помните меня? — подскочил к кушетке врач.

Лизбет пришла в еще большее замешательство. Ее явно с кем-то путали.

— Вы ошибаетесь, — мягко произнесла она. — Мы никогда с вами не встречались...

— Как же, как же! — осклабился доктор Вейнер, и Лизбет залюбовалась его красивыми чувственными губами. — Как же! Я принимал у вас роды!

— Вот как, — растерялась женщина.

— Вы та девочка, которая продержалась в открытом море тридцать часов!

— Да...

— Как поживает ваш сын?

— Мой сын?.. — она никак не могла вспомнить этого доктора, подумала, что это немудрено, так как он не зубы ей лечил, а роды принимал. — Мой сын играет в Национальном симфоническом оркестре Финляндии по контракту!

— Вот как! — продолжал радоваться Вейнер. — Поздравляю!

Она поблагодарила его и села, поставив свои большие ступни на пол.

— Что со мной, мистер...

— Вейнер, — напомнил он. — Можете меня называть просто Алексом.

Ей почему-то опять стало неловко. Может быть, потому, что врач навязывал ей короткие отношения, как старый знакомец личного, можно сказать, интимного плана. Стало даже неприятно.

— Что со мною, мистер Вейнер? — спросила она строго.

— Да-да, — поскучнел доктор и достал из кармана бумажки. Поглядел в них, грустно улыбнулся, и Лизбет опять залюбовалась его красивыми губами. — Анализ у вас странный... РОЭ очень высокое...

Он не договорил, потому что Лизбет призналась, что не знает о существовании Роэ.

— А про красные и белые кровяные тельца имеете представление?

— Меня никогда медицина не интересовала, — пожала плечами Лизбет. — Я всегда здорова была.

Доктор Вейнер подумал несколько, пробубнил себе под нос: «Странный анализ...», — а громко предложил сдать кровь на исследование еще раз.

— Могла произойти ошибка!

Явилась медсестра, теперь без улыбки, так как считала, что если доктор с пациентом общается, ей нечего корчиться! Она проткнула другую руку Лиз и втянула в шприц кровь. Теперь у Лизбет было четыре тампона.

— У вас часто кровь носом идет? — поинтересовался доктор Вейнер, положив на колени дощечку с прикрепленным к ней листом бумаги. Вооружился ручкой.

— Нет, не часто, — ответила Лиз.

— Раз в неделю? Два?..

— Два-три...

— Кровотечение обильное?

— Я не знаю. У меня раньше никогда кровь носом не шла.

— Понятно.

Доктор Вейнер делал вид, что пишет что-то на листке, а сам ждал повторного анализа и думал, что эта очень некрасивая женщина чем-то ему симпатична. Может быть, тем, что он ее в молодости встречал? А все, что отложилось в молодости, вызывает приязнь?

Лизбет тоже хранила молчание, была уверена, что анализ подтвердится и что у нее обнаружат какую-нибудь тяжелую болезнь. Она взяла себя за прядь волос и вытащила клочочек запросто. Вот и волосья лезут... Затем она принялась думать о Роджере, о том, как хорошо складывается жизнь сына и ничего, что он вдалеке от нее. Она сама наберется сил и съездит в Финляндию.

Принесли повторный анализ.

Доктор Вейнер проглядел его быстро, но долго не поднимал глаз, как будто все еще изучал.

А Лизбет смотрела на него и слегка улыбалась.

— Говорите, — произнесла мягко, насколько умела. Чувствовала, что ему сложно что-то сказать, он не хочет ее ранить слишком сильно сразу. А она совсем не боялась. — Говорите.

Доктор Вейнер оторвался от бумажек и спросил:

— Вы никогда не работали на атомных станциях? Она хохотнула.

— Может быть, на подлодках атомных плавали или на ледоколах?

— Вы что, дурачитесь? — поинтересовалась Лизбет.

— Вовсе нет, — доктор был вполне серьезен. Она развела большими руками...

— Вообще-то я работала в порту, — вспомнила Лизбет.

— На военной базе?

— Да нет же! В простом порту... Грузчиком...

Он посмотрел на нее как на ненормальную.

— Не то! В зонах бедствий бывали?

— Нет...

— Ничего не понимаю! — Доктор встал со стула и зашагал по кабинету.

— Да говорите же, в конце концов!

Он обернулся к ней, цокнул языком и сообщил, что подозревает у миссис Ипсвич лучевую болезнь, но вот только откуда она взялась, черт возьми?!!

— Что такое лучевая болезнь? — поинтересовалась Лизбет.

— Когда человек находится в зараженной радиацией зоне больше положенного времени, у него развивается лучевая болезнь!

— Я в таких местах не бывала.

— Может быть, съели что-нибудь из зараженной зоны? У вас есть родственники в России?

— В Греции. Это рядом.

Доктор Вейнер взял паузу и понаблюдал за Лизбет. Постепенно он пришел к выводу, что эта большая, почти уродливая женщина не понимает, какие по меньшей мере удручающие вещи он ей сообщает, или ей дано Господом столько сил, что она не устрашилась его ужасных предположений.

— Вы так не волнуйтесь, — пожалела доктора Лизбет. — Я не дура. Я знаю, что такое радиация и какой вред она может принести человеческому организму... Можно ли бороться с болезнью?

— Надо еще подтвердить ее!

— Так подтверждайте!

Лизбет поднялась с кушетки, вытащила из ноздрей тампоны и бросила их в урну.

— Пойду я.

— Завтра жду вас в девять!

Она обернулась с удивлением на такой приказной тон.

— Пожалуйста, — добавил доктор Вейнер. — И постарайтесь вспомнить, где вы нашли эту радиацию!..

Она вернулась домой и легла отдохнуть. Вспомнила, что уже более суток не ела. Насильно заставила себя подняться и дошла до кухни, где пожевала кусочек сыра с французским хлебом и выпила немного молока.

Опять легла. Задремала... А потом вскочила от пришедшей сквозь сон мысли. Сняла телефонную трубку и набрала номер справочной.

— Мне нужен прибор, который измеряет радиацию, — сказала она телефонистке. — Где я его могу приобрести?

— Счетчик Гейгера?

— Наверное... Да-да!

Она записала телефон и тотчас связалась с фирмой, торгующей необходимой ей вещью.

К ней выехал курьер, который после оплаты объяснил женщине, как использовать прибор, как за ним ухаживать и прочее.

Как только курьер отбыл, Лизбет подсоединила к прибору элементы питания и включила штуку, похожую на небольшой радиоприемник.

Она знала, где искать...

Со дня основания сыном лаборатории в дальнем крыле дома Лизбет никогда туда не заходила. Считала: если сын захочет, сам позовет...

Сейчас она шла по длинному темному коридору, слушая потрескивание счетчика, и ощущала себя уфологом, выслеживающим инопланетное существо.

Подошла к двери, покрутила ручку. Закрыто...

— В самом деле, — проговорила Лиз. — Что такое! — И с силой толкнула дверь плечом. Раздался скрежет косяка, замок сломался, и дверь в лабораторию Роджера распахнулась.

Счетчик по-прежнему потрескивал вяло. Лизбет включила свет и оглядела огромную комнату, сплошь уставленную диковинным оборудованием. В ее сердце вошла гордость за сына, за то, что он самостоятельно справился с наукой и произвел на свет то, что ему нужно было...

Она добралась до печки, и здесь счетчик из еле живого превратился в стрекочущего кузнечика.

— Вот оно, — прошептала Лизбет и разглядела

на стенке печи кусок какой-то горелой плоти, угли почти законсервировались. Присмотрелась внимательно, морщась от смертельного стрекота. — Гусь! — вспомнила она. — Новый год!

И тотчас бросилась вон. Не от страха, что хлебнет этой самой радиации, а опять к телефону, звонить сыну.

— Ты хорошо себя чувствуешь? — сдерживая волнение, спросила Лизбет.

— Да, — удивился Роджер. — А что такое?

— Ты когда-нибудь кровь сдавал?

— Делаю это каждые три месяца.

— А когда в последний раз?

— Неделю назад... Да что такое?

— Все нормально?

— Абсолютно.

У нее слезы из глаз потекли от счастья. Она прижала счетчик Гейгера к груди и удивилась сама себе, что в организме обнаружилась душевная влага.

«Бедные японцы», — жалела жителей Хиросимы и Нагасаки Лизбет.

Она решила, что выделит миллион фунтов для разработки новых методик лечения лучевой болезни. На том и успокоилась. Видела себя в зеркале огромной, с тяжеленным задищем, и была уверена, что плоть справится с болезнью!

А Роджер, до звонка наблюдавший пьяную голую Лийне, теперь думал, что мать его потихоньку сходит с ума... Как Лийне похожа на его мать...

Роджер с Лийне поехали в Россию, вернее на самый край ее, только через три года. Они находились в составе делегации «Дружба с Коловцом» и тряслись в русском вертолете над озером Ладога. Их кидало и бросало в воздушные ямы. Роджер смотрел на крутящиеся лопасти машины и был уверен, что они отвалятся...

Наконец сели на бетонную площадку, где их встречали.

— Это отец Михаил! — показывала сквозь иллюминатор Лийне на монаха с посохом, вокруг которого столпилась братия, послушники и вольнонаемные. — Настоятель...

По салону вертолета скакал молодой переводчик и предупреждал тех, кто в первый раз, что православные крестятся справа налево.

А потом состоялась трапеза, на которой угощали ладожской ухой.

Роджер, не переваривающий рыбу в супе, особенно под чтение церковных поучений, тихонько встал и вышел из трапезной. За ним поспешила Лийне, которая щебетала, что знает монастырь как свои пять пальцев и покажет Роджеру все его достопримечательности.

А ему было скучно в этом унылом, почти растерзанном временем и суровым климатом монастыре. Тем не менее он шел за Лийне и вполуха слушал ее комментарии.

— Монастырь организовался в пятнадцатом веке, и с тех пор в нем ничего не перестраивалось. Все постройки относятся к тем же временам... Видишь, монахи возвели свое убежище в виде каре, а их кельи расположены в монастырских стенах. Там они живут, как жили их предшественники пятьсот лет назад. Электричество включают на пару часов, так как нет денег на солярку, чтобы дизель завести, который эту электроэнергию вырабатывает. Кельи обогреваются дровяными печками. Воду пьют из Ладоги.

— Фильтрованную? — почему-то спросил Роджер.

— У них нет денег на фильтр.

— Мы взяли с собой воду?

— Не будешь же ты пить минеральную, когда они пьют из озера?

— Буду, — с уверенностью ответил Роджер.

Лийне замолчала, и они просто шли по территории. В каком-то углу в кучу были свалены всякие деревянные отходы, а над ними стоял деревянный крест, к середине которого была прибита табличка.

— Что здесь написано?

— «Об-рез-ки сто-ляр-ныя, — с трудом прочитала Лийне. — Не укра-ди»!

— Что это значит?

Лийне перевела призыв на английский язык, и Роджер зло засмеялся.

— И монахи, значит, воруют!

— Может быть, это для нас написано!

Роджер перестал улыбаться и, задрав голову в небо, увидел под ним колокольню.

— Я пойду туда! — решительно произнес он и скорым шагом направился к храму.

— Нельзя! — испугалась Лийне. — Без разрешения!..

Но он уже шел через весь храм, ища лестницу, ведущую на колокольню. А Лийне бежала вслед за ним и злилась отчаянно. Ей даже хотелось его сильно ударить в спину, но она не могла догнать Костаки, быстро взбирающегося по крутой лестнице.

Он добрался до самого верха и вылез на воздух, вспугнув при этом облезлую ворону. Смотрел на ряд колоколов, подвешенных на крючья, и удивлялся самому здоровенному. Не мог понять, из каких металлов сплав сделан.

Она догнала его и еще долго стояла молча, отпыхиваясь, и смотрела на Ладогу. Затем сказала по-русски:

— Звониса.

— Откуда ты русский язык знаешь? — спросил он.

— Я часто бываю в русских монастырях.

— Зачем?

Он расстегнул пальто и достал из чехла свою любимую Жирнушку.

— Мне нравится. Дух какой-то особенный у таких мест. У нас все вылизано, как в музеях, а здесь люди живут!..

Он уже не слушал ее. В животе плеснулось адреналином, и он погладил Жирнушкой самый большой колокол. Неизвестный металл запел так глубоко и чисто, столько в звуке страдания заключено было, что от неожиданности у Роджера сердце перехватило.

— Что ты! — вскричала Лийне. — Нельзя!!!

— Отстань!

Он ее слегка оттолкнул и еще раз коснулся большого колокола. На этот раз нежнее, а потом другой погладил, поменьше, затем третий, четвертый... А потом рука сама стала выбирать, и такой красоты песня полилась на монастырские стены, такая благодать проливалась, что слезы потекли из глаз Роджера. Лийне уже не останавливала его, а тоже плакала, но не только из-за божественной музыки, но и горда была тем, кто эту музыку создает.

А он все играл и играл, пока душа не опустела... Засунул палочку в чехол и увидел под колокольней всех обитателей монастыря. Хлебопека тетя Маша заливалась слезами, а глаза монахов и их настоятеля блестели снизу, как драгоценные камни.

И только слабоумный Вадик тренькал в звонок своего велосипеда и приговаривал:

— В Выборг поеду! В Выборг!.. — А потом настоятель что-то долго говорил Роджеру. Переводчик куда-то сгинул, а Лийне угадывала лишь отдельные слова.

— Душа! — восклицал отец Михаил. — Одаренность... Божественность... — Он крестился и даже подался вперед, чтобы обнять Роджера, но тот уклонился.

Костаки уже пришел в себя, злился на свой чувственный порыв, да еще этот даун раздражал треньканьем в велосипедный звонок.

Отец Михаил все говорил, Лийне пыталась переводить, а Роджеру хотелось попить чистой минеральной водички.

Финка затрясла его за рукав.

— Настоятель предлагает тебе к схимнику сходить!

— Кто это?

— Это монах, который уже пять лет живет в полном одиночестве. Ему приносят только немного хлеба, соли и чая. Оставляют у порога. Остальное он сам добывает.

Роджер поразмыслил немного и понял, что ему интересно взглянуть на человека, который провел в добровольном одиночестве годы.

И они пошли через вековой сосновый лес к краю острова. Отец Михаил и англичанин Роджер Костаки. Всю остальную делегацию оставили на территории монастыря, только Вадик крутил педалями своего велосипеда вослед и приговаривал:

— В Выборг поеду! За красной водой!

По дороге Роджер с неудовольствием заметил, что от настоятеля прет потом, как от коня. Костаки морщился и даже хотел повернуть обратно, представляя, как воняет схимник.

Наконец они пришли. Возле небольшого рубленого домика, часть которого уходила под землю, сидел мужчина, заросший волосьями и бородой, как первобытный. Одет он был в простую рубаху, несмотря на холод, а на груди его блестел латунный крест. В руках схимник держал огромный топор и точил его какой-то железякой.

«Надраивает», — подумал Роджер про крест.

— Это отец Филагрий, — представил настоятель схимника, сам троекратно поцеловался с ним и к руке приложился. — А это наш гость из Англии.

— Как вас зовут? — спросил отец Филагрий по-английски.

— Роджер. Костаки...

— Фамилия греческая.

— Да, мой отец был греком.

Роджер так удивился, что заросший волосами субъект, живущий в одиночестве, говорит на его родном языке, что чуть было не клацнул челюстью! Правда, говорит с чудовищным акцентом, но абсолютно правильно! С невероятным трудом Костаки скрыл свое удивление, обернулся на настоятеля, но того уже не было.

— Вы играли на колоколах? — спросил схимник, вонзив топор в деревянную чурку.

— Я.

— У вас огромный талант. Хотите чаю?

— Вы разбираетесь в музыке?

— Когда-то я очень неплохо играл на аккордеоне, — ответил отец Филагрий.

— Спасибо, — поблагодарил Костаки. — Большинство не способно оценить, талант ли у музыканта или просто умение брякать на том или ином инструменте!.. Вода из Ладоги?

Отец Филагрий поднял голову и посмотрел из-под кустистых бровей на гостя.

— Для чая, — уточнил англичанин.

— Ах, для чая?.. Да-да, конечно, другой здесь нет...

Неожиданно для самого себя Роджер согласился. Они вошли в жилище схимника, и Костаки с удовольствием втянул в себя запах свежесрубленного дерева, смешанный с запахом ладана. Поглядел на небольшой иконостас, мерцающий Божественными ликами в свете лампады. Гудела печка, на которую схимник поставил чайник. Монах достал два граненых стакана и сыпанул на дно по доброй горсти чая.

— Вода в Ладоге хорошая. Думаю, что чище, чем в Темзе. Вы протестант?

— Я был крещен, — ответил Роджер. — Один раз был на исповеди. Неудачно.

Они сели за стол, на котором высилась стопка книг. Прихлебнули из стаканов.

— Вас что-то мучает? — поинтересовался отец Филагрий.

— С чего вы взяли?

— В вас злоба чувствуется...

Роджер густо покраснел, хотел было тотчас уйти от этого странного человека, но удержался.

— От вас псом пахнет! — ответил он. — Вы что, не моетесь?

— Странно, — удивился схимник. — Рубаха свежая, стираная.

Он обнюхал себя и пожал плечами.

— Может быть, на ваше усмотрение.

Роджеру стало стыдно, и опять он захотел вскочить и уйти от схимника, который пребывал в состоянии полного покоя и даже не подозревал от другого несимпатий.

— Вы кого-то очень сильно любите! — вдруг проговорил отец Филагрий. — Сами того не знаете, а оттого злоба в вас. Поймете, к кому вы не изливаетесь любовью, и вся злоба уйдет, как вода в песок... Пейте чай...

Роджер теперь сидел над стаканом крепкого чая, слушал про собственную злобу и злился. «Какая любовь! — думал он. — Что такое!» Он всю жизнь уповал на чувственную независимость и ощущал влечение лишь к музыке одной, а этот, как его, схимник утверждает, что в нем любовь большая, да еще не осознанная! Где? В каком месте эта любовь? С каким фонарем ее искать!!!

— Что вы можете знать о любви! — выдавил Роджер. — Сидите здесь в одиночестве! Онанизмом занимаетесь? — хихикнул.

— Нет, — ответил отец Филагрий. — Плоть мне нужна лишь для совсем небольших вещей. Дрова нарубить, масло в лампаду налить, книгу читать, молитвы Господу творить. А для другого... — отец Филагрий коротко задумался. — А для другого мне не нужны члены.

Роджер все более мрачнел, а потому вдруг стал говорить еще большие неумности:

— Бог создал человека для жизни и любви.

— Вы правы.

— А вы уединились, никого не любите и не живете, как того ваш Бог хотел!

— Как раз наоборот, — отец Филагрий широко улыбнулся, показывая гостю розовые десны без передних зубов. — Все наоборот! Я люблю Господа, а потому уединился, чтобы ничто не мешало моему единению с Ним.

— И что, отвечает взаимностью?

— Важнее любить, чем быть любимым.

— У вас на все есть ответы.

— Как и у вас вопросы.

Роджер поглядел в маленькое окошко и увидел огромное солнце, падающее в серые воды Ладоги.

— Я — девственник, — признался Костаки.

— Какие ваши годы.

— Не то что у меня возможности не было, — пояснил Роджер. — Просто все в моем организме противится соитию. Омерзение вызывают женские половые органы. В лучшем случае я к ним отношусь с равнодушием!

— Соитие — это венец любви человеческой. Самый богатый подарок Господа. Вам Господь, вероятно, отказал в сем даре.

— А вам?

— Мне? — схимник взял со стола нож и принялся подрезать им ногти. — Мне все было дадено сполна.

— Болезнь? — поинтересовался Роджер, которого почему-то не раздражала варварская гигиеническая процедура.

— Нет, мое тело в порядке. Все дело в укрощении плоти, дабы не мешала чистоте помыслов к Господу. Соитие с Господом невозможно, да и помысел об этом чудовищен!

Монах положил нож на стол и перекрестился.

— Вам пора, — поднялся из-за стола отец Филагрий. — Темнеет.

— Я не верю в Бога, — зачем-то сказал Роджер.

— Это не самое страшное, — заметил схимник, показывая гостю дорогу.

— Что же самое страшное?

— Вы можете не верить, но самое главное, чтобы Господь пребывал с вами. А судя по тому, как вы на колоколах играли... Прощайте...

Роджер пошел по тропинке к монастырю, думая о чем-то. Обернулся и крикнул:

— А если это от дьявола?

Схимник вопроса не расслышал и скрылся в своем жилище...

Его уже ждали, особенно волновалась Лийне.

— Ну как? — спрашивала она. — Как?!

— Никак, — ответил Роджер.

— А все уже на взлетной площадке! Только мы вот с отцом Михаилом и монахи...

Роджер вытащил из кармана чековую книжку и начертал на чеке четырехзначную цифру. Вырвал бумагу и протянул настоятелю.

— Пусть фильтр для воды купят. А то почки сдохнут!

Отец Михаил спрятал чек в глубины своих одежд и перекрестил вослед музыканта с его подругой. Они быстро шли к грохочущему вертолету, пригибаясь, пока не скрылись в кабине.

Наяривал на велосипедном звонке Вадик и кричал вдогонку большой птице:

— В Выборг поеду! В Выборг!..

Уже ночью, дома, Роджер попытался по-настоящему овладеть телом своей подруги. Все в организме сработало правильно. Лийне старалась как инструктор по сексу, но через пять минут фрикций к горлу Костаки подкатила тошнота. Он соскочил с финки и бросился в ванную, где его вырвало любовными соками!..

К концу второго отделения Роджер вновь вспомнил о письме из Австрии.

«Чего оно опять выскочило? — подумал музыкант и дал ответ: — Потому что последние семьдесят тактов он касался треугольника всего дважды. Соло не было. Поэтому и отвлеченности всякие в голове...»

Мучился, мучился, мучился!

Наконец, балет гремлинов и гоблинов закончился. На сцену понесли цветы и корзины с оными же...

Ромео кланялся так истово, так жеманился при поклонах, что казалось, сам Нуриев на авансцене, а не какой-нибудь Колшиньс!.. Джульетта также не отставала от своего партнера, показывая в поклоне чудесную растяжку.

Три раза выходили, причем когда аплодисменты уже заканчивались. Лишь какой-нибудь запоздалый хлопок зависал... Они тут как тут! Хлопок — и все на поклон!..

А потом вся литовская труппа захлопала в ладоши, заулыбалась, и на сцену вышел знаменитый русский танцовщик на пенсии, теперь балетмейстер. Балетмейстер хреновый!..

И Миша присоединился к поклонам. Кивал своею зеркальной лысиной туда и сюда...

Еще пятнадцать минут эта гадость продолжалась, прежде чем музыкантам удалось попасть в свои гримерные перед исполнением великого Шостаковича!

— Это же надо! — не мог сдержать раздражения Роджер. — Тьфу, мерзость какая!

— Да-а! — согласился Бен. — Геблины и грёмлины!

— Гоблины и гремлины, — поправил Костаки, затем достал серебряную коробочку, выудил конфетку и принялся с удовольствием сосать. Делал он это громко, с неприятными звуками, но ударник был толстокож и, похоже, вообще не испытывал в жизни физиологических отвращений. За это его Роджер ценил.

Тем временем за кулисами произошла драка.

Альтист потрогал внушительный бугорок, упрятанный в лосины литовского Ромео. За что и получил по физиономии. Был нежен и физически хру-

244

пок, а потому упал на пол и познал своими ребрами удары балетных ног.

— Я не нарочно! — кричал альтист. — Я случайно!

Но зверюга Ромео-Колшиньс продолжал уничтожать альтиста ударами своих мускулистых ног.

Из гримерок повалил народ, и литовская труппа оказалась нос к носу с Лондонским симфоническим. Ситуация грозила перейти в массовую драку, но здесь появился Миша и рявкнул так, что и своих, и чужих протрясло, как от удара током. Колшиньса, продолжавшего избивать альтиста, маэстро ткнул в мясистый зад дирижерской палочкой. Ромео взвизгнул и еще услышал от Миши по-русски в свой адрес нелестный эпитет: литовский урод!

— Позвольте! — попытался постоять за себя коротконогий Ромео.

— Пошел на х... — прервал попытку Миша, применив глубины родной речи.

Здесь появился балетмейстер, который, поняв, в чем дело, не знал, как поступить. То ли защищать литовцев, а они ему не родные, а контрактные, то ли воздержаться от комментариев и развести стороны по гримерным, тем более что контракт с Литовским балетным театром у него закончился... Не ссориться же двум титанам из-за малого народца!..

Так балетмейстер и поступил. Заговорил с Мишей о своем дне рождения, который задумал справлять в Нью-Йорке в русском ресторане «Самовар», где будут все!

— Барышников, Юра Башмет, Спивак обещался, девчонки наши из Большого и знать местная! Приедешь? Бери свою певунью и приезжай! Я самолет пришлю!

— У меня свой, — поблагодарил Миша.

— Вот и чудесно, — обрадовался бывший великий балерун.

Он хотел было отправиться в зал и послушать излияния принца Чарльза в свой адрес, но Миша его придержал за руку и сообщил, что его альтист — мальчик с тонким вкусом и на «такого» Ромео не позарился бы, даже если бы в мире осталась только одна мужская задница!

— Согласен, согласен, — закивал пенсионер и, продолжая кивать, быстро пошел по коридору.

Женская часть оркестра приводила в порядок альтиста, используя тональные кремы и румяна. При сей процедуре молодой человек продолжал говорить с жаром, что он-де случайно коснулся, что коридор узок!..

— Тебе понравилось? — спросил Роджер, зашедший в гримерку, дабы развлечься.

Молодой человек, как ожидалось, вовсе не расстроился от вопроса, приподнял побитое лицо и сообщил потрясенно:

— У него там ваты напихано!

Здесь все засмеялись, даже Роджер скривил рот, умиляясь наивности молодого человека.

Вошел Миша.

— Играть сможете? — спросил.

— Да-да, конечно!

— Ну и славно!

Поглядел вокруг, задержав взгляд на Костаки, который подставил глазам дирижера свой сальный затылок, дал им полюбоваться, и вышел.

Роджер хрустнул почти растаявшей конфеткой и вернулся к себе в гримерную. Там он произнес:

— Литовский гоблин избил британского гремлина!

Бен почему-то истошно захохотал. Его ржание почти перекрыло третий звонок.

— Пошли, — махнул рукой Костаки.

Они опять толпились за кулисами, но сейчас Роджер был собран, мышцы живота подтянуты, а глаза блестели. Он готовился играть великого Шостаковича.

— Легато, — донеслось до его уха.

— Стаккато, — ответил музыкант и сделал шаг на сцену.

———————

7.

Он явился в Москву под осень, когда спадала к зиме листва, устилая парки испорченными коврами, разноцветьем, подгнившим из-за вечно моросящего дождя.

Приехал к себе на Петровку, позвонил в дверь. Открыли соседи, которые жили напротив.

— Кого?

— Да никого.

— Тогда проваливай!

— Жил я здесь.

— Колька, что ли?

— Ага.

— У нас здесь прописка! — испуганно сказали соседи.

— Да я просто, домом подышать!

— Ну, подыши...

Он ступил за порог под настороженными взглядами бывших соседей и шумно втянул ноздрями воздух... Домом не пахло... Он огляделся и не нашел знакомых вещей...

— Бабку где похоронили?

— Там же, где и деда... — ответили.

Он поклонился и вышел прочь. Поднял на бульваре руку и, поймав такси, спросил шефа:

— За город поедем?

— Куда?

— В Дедово. Деревня такая есть. В честь моего деда. Четвертной?

Через час он сидел на трухлявой скамеечке возле могил деда и бабки и думал о чем-то легком и прозрачном, что в слова трудно перевести. А взамен его эфирных настроений потянуло откуда-то жареной картошкой, наверное из деревни, и вспомнилась бабуля, и кусочки из прошлого, особенно детские. Он достал из кармана пол-литру, сорвал крышечку и вылил все содержимое в жирную подмороженную землю. Затем перекрестился, поглядел в умирающее небо и пошел с кладбища вон...

В этот же день он приехал в Лужники, опять на таксомоторе. Просто хотелось поглядеть на футбольное поле, нюхнуть запаха футбольной травы и представить, что вокруг сто тысяч болельщиков, и все воедино кричат: «Колька! Ты наш братан!»

Но все ворота к полю были заперты на замки, и он лишь углядел краешек футбольного прошлого, зелененький с белой линией.

— Писарев? — услышал он из-за спины.

Оглянулся и увидел старика. Был бы помоложе, не смог бы сдержать удивления: старик ничуть не изменился за девять лет, только крепче стал. А так, с опытом, лишь курчавая борода дрогнула.

— Николай?

— Я.

— Освободился?

— Сбежал...

— Ясно. — Старик чувствовал себя неловко, а оттого мял пальцы левой руки. — Пойдем-ка пивка попьем! — предложил.

Колька пожал плечами, и они пошли к ларьку, в котором имелось свежее бочковое. Подули для вида на пену, глотнули жадно и, поставив кружки на столик, посмотрели друг на друга.

— Могу тебя во вторую лигу устроить, — предложил старик. — Силы есть?

— Силы-то есть, вот желание отсутствует, — отказался Колька. — Другая у меня теперь дорога... Да и в Москве мне жить нельзя!

— С этим бы помогли...

— Не сомневаюсь. Люди с такими капиталами!..

— Чего? — не понял старик.

— Да ничего! — Колька глотнул пива до дна, утер бороду и заулыбался. — Просто тогда, девять лет назад, я в сейфе помимо денег еще секретную кнопочку обнаружил, а там дно второе, а в нем... Да вы сами знаете...

У старика сделалось злое лицо.

— Да не дрейфь ты, старый! — усмехнулся Писарев. — Уж если тогда не сдал, то теперь помрешь чистым! И все твои тренера, обжиравшие пацанов, тоже чистыми в гроб лягут! А там на все воля Божья!

— Я б на твоем месте речей таких не вел! — в голосе деда чувствовалась угроза.

— А то что, наедешь на меня со своей крышей?..

Дед не ответил, отвернул голову.

— Плевать я на вас хотел! — Писарев достал из кармана купюру, придавил ее кружкой, пожевал губами да плюнул с такой силой, что у старика кепку сбило. — Прощай, старый!

Тем же вечером сел в плацкартный до Питера, а утром следующего дня пил из бумажного стаканчика кофе с молоком на Московском вокзале...

А потом на пароме на Валаам двинул. Приплыл, а там экскурсии по святым местам за девятнадцать долларов, а монахи шелковыми рясами свои жирные телеса укрыли... Вот тебе и святое место!

Жрать захотелось, так даже хлеба не вынесли. Даже за рубли.

— Это не деньги! — сказали.

А храмы красивые, глаз нельзя отвесть, а внутри сувенирная продукция всякая. Торгуют монахи, значит...

Не стал судить Колька, хоть уже вперед судим был. Пошел к озеру обратного парома ждать и встретил по дороге мужика еще не старого, с вязанкой дров.

Спросил про паром. А мужик ответил, что теперь посудина только послезавтра ожидается.

— Во, угодил! — усмехнулся Колька.

— А чего ищешь? — поинтересовался мужик, скинув вязанку к ногам.

— Работу какую.

— А чего не в городе?

— Так, в монастыре хочу.

— А в монастыре мало платят.

— А я за харч.

— В монахи, что ли, хочешь?

— Ага.

Мужик поковырялся в ухе и сказал:

— Так тебе не сюда надо.

— Я уж понял, — ответил Колька.

— В музее Богу служим, — посетовал мужик и присел на дрова. — Отседова даже схимника выжили!

— За что же? — удивился Колька, сев на корточки, как зек.

— Чалился?

— Чалился.

— А за то выжили, что настоятель монастырский ревностью сгорал к святости схимника. Оттого, что народ к нему шел за советом и на исповедь! А в монастыре только кликуши да пьянь безобразная! И туристы!

— И куда пошел схимник?

— А говорят, в Сибирь... Знаешь-ка что... — Мужик задумался. — Сейчас катер с солярой на Коловец пойдет. Там монастырь Коловецкий. Тоже остров... Монахов раз-два и обчелся, а сила рабочая нужна. Там раньше часть военная стояла, потом ее сняли и монастырь церкви вернули. Климат там больно поганый, да островок крохотный... Зато монастырь старый, намоленный!

Послышалось тарахтенье лодочного мотора.

— Поспешай! — поднялся с вязанки мужик. — Сейчас загрузят и уйдут!

— А не возьмут? — вскочил на затекшие ноги Колька.

— Возьмут, — улыбнулся мужик, взваливая вязанку на плечо. — Скажи, что Зосима направил. И на Коловце так же скажи!..

Колька бросился к пристани, добежал до лодки, вспомнил, что не попрощался с мужиком, хотел было обратно, но лодка отходила, и он прыгнул на борт, да чуть было не перевернул судно, слава Богу, лишь ведро воды черпанули. На него заорали, но без мата, а он, и сам напуганный, принялся говорить, что от Зосимы он, мол, Зосима на лодку его направил!..

Все сразу успокоились. Выплыли на середину озера и запрыгали по волнам. Через час лодочные люди перекусывать стали. Хлеб с холодной рыбой да чай в термосе. Хочет ли Колька жрать, не спрашивали, протянули еду, как старому товарищу...

Всю остальную дорогу молчали, а через два часа, когда Кольку уже мутить начало на волне, пришвартовались к Коловецкой пристани, где лодку уже встречали несколько местных мужиков, которые приняли участие в разгрузке соляры. Колька тоже помогал бочки ворочать. Сначала их в прицеп трактора укладывали, а потом отвозили по берегу в дизельную.

Наконец разгрузились, и Колька поклонился лодочным людям в пояс.

— И тебе спасибо за помощь, — протянул руку главный.

Пустая лодка радостно затарахтела и отчалила в наплывающий туман.

Колька с мужиками отправился вверх по горе, на которой стоял монастырь.

— А кто старший здесь? — спросил он мужиков.

— Отец Иеремия, — ответили. — Настоятель... А ты к нам?

— Если возьмут.

— Наркоман? — спросил худой и длинный.

— Нет.

— Алкаш?

Колька помотал головой.

— Отсиделый?

— Ага.

— Сколько?

— Девять.

— Если за душегубство, то не возьмут!

— Да нет, сидел я...

— Это твое дело, — сказал худой парень в грязном подряснике. — Я не исповедник!

Вечером Колька на службу попал в монастырский храм. Убогонький храм, с пустыми стенами, над алтарем только местные самописные иконы висели. Зато с левой стороны гроб стоял с мощами основателя монастыря Ефрема Коловецкого. И крест над гробом. Человек тридцать в храме, а в монашеских одеждах трое. Один из них был тот, кто днем его

253

опрашивал, худой, черноволосый, с единственным зубом на верхней челюсти.

Служба шла вяло, хотя праздник был великий — Покров Пресвятой Богородицы. Подпевали настоятелю слабо, потому что сам он литургию служил по бумаге свитком — то и дело сбивался.

А Колька, соскучившийся до службы, закрыл в блаженстве глаза, вспомнил лагерного батюшку да запел потихонечку, а потом и вовсе забылся, в голос заславил.

А когда закончилась служба, попросил у отца Иеремии исповедь его прослушать.

— Кто таков? — спросил настоятель.

— Николаем зовут. Писаревым. Хочу жить у вас!

И принялся Колька исповедоваться, и странная исповедь у него получалась. Вспомнил все. И Надьку с рыжей ж... и про плевки свои вспомнил, про то, как кассу футбольную взял и срок получил. Про дядю Мотю упомянул, как того жизни лишил и за что; про друга своего лучшего Гормона поведал, как на груди у него издох друг, и Агашкой косоглазой закончил. Плакал, как любил ее один раз, а на всю жизнь запомнил! Про руки девчонки Иеремии шептал, что похожи они на ветви ивы, столь же тонки; про глаза азиатские и запах ее тела — запах восточного базара; и как он себе руки вязал, проезжая уже вольным станцию Курагыз, как чуть было не выпрыгнул из окна на полной скорости, но товарищи удержали...

Больше часа исповедь Колькина продолжалась, а когда он разлепил красные от слез глаза, когда почувствовал холкой Бога и повалился на колени, то услышал над собой не молитву, а злые слова:

— И ты — грех на грехе, ко мне в монастырь приперся! — возопил отец Иеремия. — Да тебе в собачьей конуре дом, а не Божья обитель! — И палкой Кольку сковыривать к дверям стал, приговаривая: — Чтобы завтра твоего духу на острове не было! Понял!

— Да как же! — икал Колька, отползая к храмовым дверям. — Как же!..

— Отродье! — фыркал настоятель. — Как осмелился сюда явиться! В место столь святое!.. Вон!!!

— Да не сам я! — рек уже за дверьми Колька.

— Подослали? — прищурился Иеремия.

— Зосима с Валаама прислал! Сказал, что примут меня здесь!

Колька видел в свете тусклой лампочки, как изменилось лицо настоятеля, как пережевывал он этот лимон информации и каким кислым сей фрукт оказался на вкус. И тут Колька приврал во спасение:

— Зосима обещался приехать проведать меня весной!

Здесь Иеремия скис окончательно. Вспомнил Елену Ивановну и плюнул на пол нутра своего в бессилии.

— Спать будешь в келье рядом с Димитрием! И послушание от зари до темна!

— Живот надорву, а все сделаю! — поклялся Колька.

— Смотри! — прошипел Иеремия и пошел в настоятельские покои, освещая себе дорогу лучом карманного фонаря.

А потом Колька познакомился с обитателями монастыря.

Всего на Коловце проживало тридцать два человека, среди них было монахов пятеро, послушников семнадцать, а остальные вольнонаемными считались.

Димитрий-монах — сосед Колькин — на Большой земле наркоманом был, про себя говорил, что от печени из-за героина кусочек в спичечный коробок остался. И вот что удивительно было: как только он в Питер по какой-нибудь надобности отлучался, к врачу или в милицию, непременно тянуло его к продавцу. Вкалывал дозу и обратно на остров. А на острове ни ломки, ни желания! Чудо! А племянник знаменитого советского художника Грязунова, послушник Гера, в миру фельдшером бывший, говорил про Диму, что если он на игле посидит неделю, то воскресный его приход придется на собственное отпевание. На том свете догонится!

Мужики смеялись, и Димитрий лыбился, показывая свой кривой с чернотой зуб...

Иногда вернувшиеся из увольнительной приносили с собой водку, и тогда после времени, назначенного на отход ко сну, пили эту водку в столярной мастерской под свечной огонек и рассказывали всякие истории из жизни, но только не из своей. Про себя никто и никогда не рассказывал. Иеромонах Василий как-то проговорился, что у него семья была, да и только. Лишь отец Серапион, старик лет шестидесяти пяти, завхоз храма, с роскошной, поделенной надвое бородой, любящий больше всякого праздника фотографироваться у туристов финнов, эмоционально принимался излагать истории из своей долгой жизни. Но старик, видно, родился в бедной семье, и в детстве его не водили к логопеду, а оттого его рассказы напоминали речь шимпанзе, смешанную с передразниванием попугая. Понятно было лишь одно слово из двадцати. Мужики ржали, а отец Серапион радовался, относя хохот на счет своего таланта рассказчика.

— Онь потель к мопуиипу и стал тумумунанасима! — поддавал юмора Серапион. — Ха-ха-ха! Ты пошто припупилума митро кукушилоа! Ха-ха-ха!..

Несмотря на то что деду было шестьдесят пять,

он всего лишь год как был пострижен. До этого был пенсионером и подрабатывал в ДЕЗе бухгалтером. Но, несмотря на неспособность разговаривать по-человечески, Серапион, закутавшись в рясу, умудрился найти в Питере себе спонсоров, которые профинансировали старику поездку в столицу по святым местам. А еще спонсоры обещались отправить благообразного старика в Иерусалим. Во всяком случае, такую информацию Серапион донес до настоятеля, попросив к весне загранпаспорт... Колька сравнивал монастырскую жизнь с лагерной, считал обитель Божью более нищей, нежели зону, но счастлив был невидимым светом, проливающимся из эфира, добровольным трудом до изнеможения и добротой окружающего мира. Если только не считать отца Иеремию, который целых два года не читал над головой Кольки разрешительной молитвы...

Оставаясь ночью с самим собой, Колька был вынужден признаться, что пустота в душе не проходила, несмотря на отчаянные попытки молиться во время тяжелого послушания.

На острове с ветрами, близкими к ураганным, то и дело с воем и скрежетаниями обрушивались высоченные корабельные сосны. В Колькины обязанности входило распилить упавшие стволы на куски, погрузить семидесятикилограммовые чушки на трактор, развезти по частям к храму, пекарне и кельям. Затем, по очереди, вооружившись топором с метровой ручкой, Колька раскалывал эти чушки на поленья, годные полезть в печь...

Казалось, от такой тяжеленной работы не только тело послушника должно было окрепнуть, но и душа наполниться радостью от проделанного труда, сдобренного хорошими молитвами. Но под сердцем попрежнему сосало, как в детстве, и Колька думал, что

Господь его не принимает, а все оттого, что Иеремия не читает разрешительной молитвы... И снились по ночам послушнику греховные, скабрезные сны, и даже дьявол в обличье девицы черноволосой явился однажды. А у девицы лоно живое, во все стороны крутится, пытаясь всосать Кольку. Но в последний момент искушения Колька перебарывает себя и видит вместо девицы дьявольский оскал... Проснулся в холодном поту. На часах было четыре утра. С тех пор стал всегда просыпаться об эту пору...

А потом разговорился с иеромонахом Василием, когда храм топили перед вечерней, да тот ему и сказал, что пустота в душе и томление духа первые годы в монастыре всех преследуют.

— Если ты ждал мгновенного успокоения, то дурак! — поставил диагноз храмовый истопник. — По монастырям всякая нечисть живет, она искушает всех мягкотелых, да и духом сильных. Какой-нибудь бес усядется к тебе на плечи, за уши берет и управляет тобою, как лошадью!

— Как же! — удивился Колька. — В таком святом месте и нечисть!!!

— А где ж ей быть, — удивлялся Колькиной непонятливости иеромонах Василий. — Ей только в благочестивых местах и интересно! Какого-нибудь послушника, вроде тебя, с пути истинного свернуть, сомнениями жизнь утяжелить!.. А там, в миру, сами люди — нечисть, чего их с пути сбивать, они и так верной дорогой идут, товарищи!

От таких простых выводов Колька оторопел, мысль его заработала лихорадочно, а рука, засунувшая в печь полено, задержалась в огне.

Иеромонах Василий выдернул его из печи. Слава Богу, только телогрейка задымилась ватой. Полили водичкой. Сели отдохнуть на минутку.

— Поди, сны снятся нехорошие?

— Снятся, — признался Колька.

— Всем снятся, — успокоил батюшка. — Особенно отцу Иеремии, Господи прости! — И перекрестился.

— Пройдут сны?

— Пройдут, если крепок будешь! И бесам жаль время тратить попусту. Отстанут. Молись!

— Молюсь!

А потом Колька стал замечать, как монахи собираются по вечерам, вроде как чайку попить, а сами шепчутся о чем-то. А при появлении Кольки замолкают.

А не его это дело, думал послушник и укладывался в постель с какой-нибудь книгой из храмовой библиотеки. Читал обычно о житии какого-нибудь святого. Все жития обычно были похожи друг на друга как две капли воды, а оттого засыпалось хорошо.

Вот как оно, думалось Кольке. У добра один лик, аж до скучности, а у зла обличий великое множество! Вот и девушки в миру, те, которые добродетельны, частенько остаются в девках, а подпорченные пользуются непременным успехом. Прав иеромонах Василий. Там, в большом мире, никого искушать не требуется, все искушенные!.. Уж если на Валааме монахи жирные, как свиньи, и в шелка одеваются, то чего говорить о городах нищих!

— Нечего монаху размышлять! — говорил себе Колька. — Монаху трудиться надо и молиться!.. А я и не монах еще, — зевал Колька и засыпал...

А через три месяца на остров пожаловал митрополит Санкт-Петербургский и Ладожский и трапезу разделил со всей островной жизнью. Хвалил рыбу, а на отца Иеремию глядел косо.

А потом Высокопреосвященство забрал с собою в вертолет иеромонаха Василия, настоятеля же расцеловал на прощание, хотя физиономия у Иеремии после благословенных поцелуев искривилась, словно свечка, пролежавшая неделю на солнце.

Горевал Колька об отъезде иеромонаха Василия долго. Ходил ночью по монастырской территории, мыкался. Несколько раз его горестное лицо, заросшее чернющей бородой, попадало в луч настоятельского фонарика и пугало отца Иеремию почти до смерти.

— Одни зеки вокруг! — в голос причитал он. — Убийцы и разбойники!

От этих причитаний настоятеля настроение у Кольки поднималось, и он взял обыкновение специально выходить ночью на воздух, подкарауливая направляющегося в свои покои отца Иеремию. Специально совал свою физиономию под свет и скалился, показывая лишенную зубов челюсть...

Через некоторое время настоятель Иеремия собрал свои пожитки и отбыл в Северную столицу. Монахи радовались и промеж себя благодарили иеромонаха Василия, пожертвовавшего собой ради братства.

Прожили без головы до осени, а в октябре на Коловце появился иеромонах Михаил. Он и постриг Кольку без лишних проволочек, и стал Колька Филагрием.

Прожил в братии монахом месяц и пришел к отцу Михаилу с просьбой.

— Хочу один жить! — сказал.

— Мы тебе не подходим? — усмехнулся отец Михаил, пригладив свою роскошную шевелюру. — Или от послушаний надорвался?

— Хочу на дальний скит.

— Там же все прогнило, — вспомнил новый настоятель. — И стены попадали!

260

— Восстановлю.

— А чем питаться станешь?

— Что я, рыбы не наловлю? От иеромонаха Василия удочка осталась, а давеча волна какого-то синтетического волокна принесла. Времени много будет, сеть сплету...

— А зимой? Тоже сеть ставить будешь?

— Так я осенью припасов наделаю.

— Октябрь уже, — ставил преграды отец Михаил.

— Успею, — настаивал Колька. — Если братия топора не пожалеет, гвоздей килограмма два, чашку да кирпича, чтобы печь выложить...

— Мы не жадные... Главное, чтобы прок был!

— Будет, — уверенно произнес Колька.

— А ты знаешь, что такое одиночество?

— А вы, отец Михаил, знаете?

— Человек создан Господом, чтобы общаться с себе подобными! Вся природа его противится одиночеству! Мозг от одиночества одержимым становится!

— А я с Господом общаться стану, — улыбнулся Колька. — Разве Господь позволит, чтобы я одержимым стал? Разве с Господом я одинок?..

Отец Михаил мрачным сделался.

— Смотри, не опозорь! А то прискачешь на холода!

— Я не лошадь!

— Хорошо... Можешь два дня не работать... Собирайся!

Колька встал перед отцом Михаилом на колени, поцеловал руку и со всей искренностью, на которую способно было нутро его, поблагодарил настоятеля.

Иеромонах благословил отца Филагрия, а напоследок рассказал про отца Серапиона. Мол, у того покровители появились!

— Знаю, — кивнул головой Колька. — Новость старая.

— Я ему паспорт сделал, визы сделал, — продолжал настоятель. — А пять дней назад был в Питере на подворье, приходит ко мне пара, супруги средних лет, одеты бедненько, лица светлые, хоть и печаль в них. Спрашиваю, чем помочь могу, а они мнутся, держатся друг за дружку, как малые дети напуганные, и только вздыхают тяжко. Да что случилось? — в сердцах спрашиваю. А он набрался смелости, вышел вперед, заслоняя жену, и рассказал, что некоторое время назад в их жизни появился отец Серапион, монах с Коловца, духовником их стал. А потом намекать принялся, что надо ему по святым местам отправиться, чтобы этой самой святости набраться. А они люди небогатые!.. А я и сам вижу — не то что небогатые, бедные просто! Ну, набрали они по друзьям денег на поездку в первопрестольную, а он не успел возвратиться и говорит — посылайте меня в Израиль! Они взмолились, что негде средств более отыскать, а он озлобился и молвит: не найдете — прокляну!

— Ой! — вскрикнул Колька.

— Вот такой Серапион! — хмыкнул настоятель. — Про Израиль у него внятно рассказать получилось!

— И что теперь?

— А уйдешь жить на скит, я его в тот же день раздену!

— Сволота, — ругнулся Колька. — Прости Господи!

Через два дня во время утренней трапезы отец Михаил сообщил всему братству и вольнонаемным, что отец Филагрий уходит жить на дальний скит.

— Помолимся же за него!

И братство помолилось искренне и поело творо-

262

га со сметаной в честь такого события. Отец Серапион сидел на дальнем конце стола и вытирал дно миски куском хлеба. Под подрясником у него были надеты джинсы и теплый мохеровый свитер. Филагрий собирался на дальний скит, а Серапион на Валаам. Он знал, что его там примут. На Валааме любят благообразных стариков. С ними часто фотографируются туристы. Пофиг, что раздели!..

«Завтра и уеду», — решил Серапион.

Колька запрыгнул в кузов трактора, ему подали собранные вещи, и отец Филагрий покатил под грохот мотора в другую жизнь.

А ночью мужики обрезали бороду Серапиону и сожгли ее в печке. Старик наутро горько плакал, его не пустили даже в трапезную, а просто выдали кусок хлеба, да и то сделала сердобольная тетя Маша... А через два часа обритого Серапиона увозил на Большую землю бывший военный корабль, переделанный в паром...

В первую свою ночь на скиту Колька чуть не замерз до смерти. Хоть и октябрь, но ветрище ледяной, а стен еще нет, только гнилье, толкнешь — рухнет. Колька лапника елового нарубил да вместо матраса приспособил. Костерчик развел да воду на нем вскипятил. Заснул в тепле, а проснулся в холоде. Еще только светало, а он уже вовсю махал топором да пилой орудовал, чтобы стены новые соорудить.

«И не для собственного тепла я стены возвожу, — подбадривал себя Колька. — А для того, чтобы иконы повесить, чтобы лик Господа просиял на заброшенном скиту...»

Целых два месяца рано поутру монахи, тянущиеся на службу, слышали звуки тюкающего топора. А потом отец Михаил стал молиться в голос, чтобы у отца Филагрия сил душевных хватило...

Особенно мучился Колька от того, что печку ему сложить не удавалось. То раствор неправильно замешает, то криво кирпич пойдет, то тяги нет...

А еще он вдруг понял, что за трудом тяжким совсем мало молится, что это простому монаху позволительно только вкалывать и ни о чем не думать, а он же должен научиться разговаривать с Богом, чтобы Господь отнесся к нему как к сотоварищу своему и помогал не только в быту, но и в жизни духовной, просветляя его и посылая озарения.

Через два дня печь сложилась. Тяга в ней такая обнаружилась, что в почти заново выстроенном ските гудело, словно самолет собирался взлетать.

Из припасов Колька достал банку с краской и выкрасил скит в зеленый цвет. Внутри же оставил нетронутую деревянную плоть и дышал сосновым духом в полную грудь.

А потом настал день, когда Колька проснулся и сказал:

— Здравствуй, Господи!

И с этого момента все его мысли стали диалогом с Богом. В простоте он общался с Создателем, и не была эта простота упоминанием Создателя всуе, а истинным общением с Отцом.

— Вот иду я, Господи, покосившуюся сосну завалить. Как думаешь, Великий, если я стену северную усилю, не напрасен труд мой будет?..

И Колька непременно получал ответ на все свои вопросы. Словно кто-то шептал ему в ошпаренное холодом ухо.

И становился тогда отшельник перед образами на колени и молился истово, благодаря Господа за вразумление, за то, что не дал погибнуть его заблудшей душе!.. Благодарил и за Надьку, и за футбол, и даже за тюрьму благодарил. Просил Его, чтобы позаботился о бабке с дедом, что он читать за них будет денно и нощно, а то, что дед коммунистом был, так то понять можно! Уж больно светлые идеалы коммунистическая партия проповедовала. Может, из-за них дед и героем стал! Коммунистам бы тебя, Господи, в сердца!..

Прожил Колька первую зиму на ските и был совершенно счастлив. У него не было зеркала, но волосья выросли до плеч, а борода спустилась до грудков. Колька раздевался догола и вбегал в ледяную ладожскую воду, тер тело и волосы песком, а потом выскакивал красный, но не мороженый, всовывал ноги в кирзачи и бегал среди сосен, в чем мать родила, пока Господь не запускал в его тело огненное тепло...

Сию картину разглядели случайно браконьеры да рассказали о том в монастыре.

— Может, с ума сошел? — высказали версию.

Послали трактор с парой новых сапог, с мешком соли и с полтысячей свечек.

Тракторист из вольнонаемных вернулся и долго не мог прийти в себя, рассказывая настоятелю о том, какую красоту навел отец Филагрий! Какой скит отстроил, как у него внутри все складно... И в скиту, и в душе!.. «Я спросил его, может, постричься, а он — постригись, только не коротко. От женщины в монахи не убежишь, только переломится у тебя все внутри. Откуда он знает про женщину?»

Отец Михаил велел к скиту более не ходить, браконьерам запретил лов на той стороне озера. У себя же в покоях помолился:

— Дай, Господи, нам схимника получить. Да сделай так, чтобы говорил он твоими устами!..

Полгода ушло у Кольки, чтобы сеть сплести, но получилась на загляденье, с некрупной ячеёй, метров тридцать в длину.

А потом Господь послал лодчонку разбитую, видно, браконьеры бросили. Колька ее починил, просмолил днище, чтобы не текло, вырубил топором весла, а уключины из найденных подков сделал.

В первый раз вышел в Ладогу, а на погоду не посмотрел. Пока сети расставлял, волна поднялась баллов до пяти, да чуть не выкинула отшельника из посудины. Колька сеть-то отпустил — куда она денется, — бросился к веслам. Грести к берегу стал. Только к песчаной кромке подгребет, а волна его метров на пятьдесят обратно в озеро. А там уже волна на волну наскакивает, как баран на барана, и попади лодка меж водяных рогов — кирдык! Но силы в плечах Кольки было предостаточно. Отобранная у вековых сосен, она помогала ему сражаться со стихией, и он улыбался этому сражению, так как знал, что Господь ему экзамен устроил!..

Природа вокруг выла и скрежетала, вырывая весла из уключин. Кольку относило все дальше в озеро, на черном от туч небе он вдруг увидел северное сияние и закричал:

— Господи! К тебе иду без страха! Господи!..

В сей час буря утихла. Колька захохотал в полный рот, принялся грести к берегу, и вскоре его ноги ощутили земную твердь.

— Спасибо тебе, Господи! — прокричал отшельник небесам.

А потом он молился в скиту, благодаря Всевышнего за то, что жизнь дал ему, за то, что жизнь создал как величайшее чудо и наслаждение, за то, что у него руки и ноги целы и может он наслаждаться полной душой всем роскошеством бытия!

И чем дольше Колька молился, тем сильнее разгоралось в лампаде пламя и лик Господень, на бумаге печатанный, источал сияние, как будто живой!..

А потом он стал просыпаться и прежде, чем осознавал себя, уже возносил молитву к небу. А со временем молитва стала изливаться из него во все времена дня, ночами же снилась ему до самого утра...

В сетях стало появляться много рыбы. Часть из нее он вялил, часть коптил, создавая припасы на зиму. Собирал грибы и ягоду впрок и полагал себя самым счастливым человеком на свете. Он не считал времени, оно остановилось, и Колька понял, что такое Вечность. Сказать словами бы не смог, но духом отважился уразуметь откровение.

А потом как-то раз к нему в скит пришел отец Михаил. Встал на колени и благословения попросил.

— Что вы, отец Михаил! — оробел Колька. — Да как же я смею!

А настоятель заплакал и поздравил вокруг природу и себя именем отца Филагрия, схимника новоявленного!

И что-то в ухо Кольке вошло, что он счел возможным тотчас благословить настоятеля Коловца и руку протянуть для лобзания.

Потом они чай пили, и отец Михаил отважился попросить схимника духовником его вызваться.

— Конечно, — ответил Колька. — Что мучает вас?

Отец Михаил собрался с духом и рассказал:

— Неделю назад готовился к причастию, вдруг на алтаре тело Господа воочию увидел. Мертвое. Кровь сочится из ран и плоть, хоть и мертвая, но мучается...

— Так на этот случай, — подсказал Колька, — молитва специальная есть!

— Я знаю, отец Филагрий. Читал эту молитву десятикратно. А тело до сих пор лежит на алтаре, и только я его вижу, а другие даже случаем облокотятся, а не замечают! Семь суток уже!..

Колька задумался, а потом склонится перед иконами и прошептал:

— Господи, верит этот человек в Тебя, как в самого себя! Дал Ты себя лицезреть, и мертвым телом своим повергаешь раба Твоего в скорбь, а долгая скорбь уныние рождает, грех огромный! Сам искушаешь! А против Твоей силы даже Илья Муромец слабак!..

Колька еще долго шептал, а когда закончил, просил отца Михаила идти обратно и, если все настроится на прежний лад, ударить троекратно в малый колокол.

— Да, — чуть не забыл Колька, остановив отца Михаила возле ельника. — Учебников мне пришлите по языкам разным!

— Пришлем, отец Филагрий. Обязательно!

К ночи, когда Колька уже свечки задувал, готовясь ко сну, троекратно прозвонил малый колокол. Отшельник с удовлетворением зевнул, в рот влетел бес, но после того как вход в душу Колька перекрестил, озлившийся бес отвалил в монастырскую сторону.

А потом он стал языки учить иностранные и с Богом разговаривать на английском и немецком. Всевышний отвечал ему терпеливо по-русски...

Однажды в начале лета Колька проснулся раньше птиц. Выглянул в окно, а там туман клубами переваливается, застилая собой все пространство до небес.

«Ишь, какое чудо атмосферное», — порадовался Колька и сел возле окошка смотреть на атмосферные дымы, на ладонь опершись.

И слышал он, как в этом непроглядном явлении плещет рыба, вероятно выпрыгивая из воды, чтобы курнуть тумана.

Колька поглядел на небо и констатировал, что солнца не видно. Во какой туман!

Сидел он так и сидел, пока слегка не развиднелось. А в развидневшемся местечке темное пятно какое-то! Стал дуть отшельник на туман, чтобы скорее сошел и любопытство удовлетворил.

Тут и ветер подул в помощь Кольке. Разлетаться туман стал по всему миру ватными ворсинками, и увидел отшельник метрах в пятистах от берега маленький остров, а на нем домик из дерева рубленный, деревенский.

«Вот так дела, Господи, — подумал он. — Откуда остров? Мираж?..»

Протер глаза... Остров по-прежнему торчал из воды.

«Поплыву, — решил Колька. — Посмотрю, что там за невидаль!»

Прыгнул в лодку и погреб что есть силы. Двести гребков сделал, а лишь на треть приблизился.

Оптический обман, решил. Ковырнул воду еще раз триста, обернулся по курсу, а остров маленький почти под самым носом. Домик на островке крошечный, словно игрушечный, с двориком, а во дворе стол деревянный, а за ним люди пожилые, двое — мужчина и женщина. Головы их белые от седины как лунь, и похожи они друг на друга, будто родные... Что еще Кольку поразило, что у мужчины и женщины щеки розовые, как яблоки, здоровьем налитые...

— Здравствуйте! — поприветствовал Колька из лодки.

— Здравствуй, сынок, — ответила женщина и улыбнулась приветливо.

— Здравствуй! — улыбнулся мужчина. — Чего ж ты в лодке сидишь? Иди за стол к нам!

Колька привязал лодку к ветке какой-то и выбрался на твердь. Сделал шаг, а под ногами как будто загудело. Прошагал до оградки игрушечной и за стол сел. Женщина взяла бутыль с молоком и плеснула в кружку до краев.

— Попей молочка!

Колька взял кружку поднес ее ко рту, и показалось ему, что молоко само течет в организм, и сладкое оно, как, может быть, птичье!

Они смотрели на него и улыбались.

— Хлеба у нас нет, — развел руками мужчина.

— Спасибо, — поклонился Колька, посмотрел на странную пару, и вдруг кольнуло под сердце отчаянно, что-то в памяти промелькнуло. — Ах! — вскрикнул он.

— Я же говорила, что узнает, — сказала женщина мужчине.

— А он и не узнал еще!

— Сейчас у него в голове все сложится! — уверила она.

— Думаешь?

— Конечно...

Они разговаривали между собой, словно Кольки рядом не было, словно и не стекали капли сладкого молока по длинной бороде. А он слушал их и сердце свое пытался остановить, чтобы не мешало памяти, а в мозгу и зрело и не вызревало.

— Филагрий, — неожиданно представился Колька.

— А в миру? — поинтересовался мужчина.

— Николай... Писарев...

— Хлеба у нас нет, — повторил мужчина. — В булочную надо бы!

И тут у Кольки прорвало.

— Нет здесь никаких булочных! — заорал он. — Не надо ходить в булочную!!!

— Пошли в булочную, — вспомнил мужчина. —

270

Решили прогуляться. Воздух морозный был, легкие щекотал приятно. А со Стасовых палат лед сошел. Тогда одиннадцать человек накрыло насмерть. А документов у нас с мамой не было. Похоронили черт знает где, вместе с другими, без креста!..

— Папа? — спросил Колька, чувствуя, как по щеке медленно стекает горячая слеза.

— Иван Матвеевич Писарев.

— Мама...

— Я, сынок, я... Голубок мой ненаглядный! Радость моя единственная!..

Он сидел, сжав в руке пустую кружку, и двинуться не мог.

— Еще молочка? — предложил отец.

А он ответить не мог. Онемел.

Вдруг под ногами земля завибрировала, ходуном заходила, так что молоко во все стороны расплескалось.

Испугался Колька, а мать говорит — не пугайся, просто пора нам! И протянула было к сыну руки, но здесь твердь накренилась, так что табурет с Колькой поехал.

— Прыгай в лодку! — заволновался отец. — Пора нам!

Колька сиганул на корму, взялся за весла и смотрел на своих родителей, как они машут ему ладошками на прощание. Очень похожие друг на друга.

— От бабушки привет! — прокричал напоследок отец.

— И от дедушки привет! — донеслось вдогонку от матери.

А потом произошло и вовсе невообразимое. Закачалась земля, словно при землетрясении. Потом накренилась на сорок пять градусов да стала уходить под воду.

— Ой! — вскрикнул Колька, когда родители скрылись под волной. — Эх!..

А потом вода взбурлила, и на поверхности показался огромный рыбий хвост. Такой величины был он, как у самого большого кита в мире.

«Чудо-юдо-рыба-кит!» — догадался Колька.

Он что было силы погреб в сторону земли, дабы не угодить в водяную воронку, оставленную чудищем, а когда вернулся на скит, долго еще пытался забрасывать удочку в надежде словить эту рыбу, на которой его родители живут. Ведь столько вопросов осталось...

А когда на следующий день проснулся, никак не мог понять, было ли вчерашнее на самом деле или только приснилось ему. Календаря, кроме церковного, не было, да и в том он пометки не нашел...

Погрустил Колька несколько дней, осознавая себя одним в этом мире, а потом обрадовался, наоборот, что отвлекаться от молитвы не надо!

Проснулся, а молитва уже течет себе, как ручеек...

А потом туриста к нему на третий год привели, и Колька впервые поговорил по-английски. Коряво, но турист понял.

Прыщавый малый, вспоминал Колька, с тысячью комплексов, но такой талант Господь вложил в его душу! Как пели колокола во славу Всевышнего и во славу красоты, а красота и есть Всевышний!..

Вскорости пошла по Ладожской земле молва о схимнике, поселившемся на Коловецком острове. И стал народец наезжать, пытаясь попасть на разговор с отцом Филагрием. Схимник не отказывал, давал мирянам мудрые советы и продолжал жить своею жизнью. Вскорости в его келье появились рукописные иконы, заменившие печатные, какой-то местный купчина поставил за скитом генератор, и электричество стало освещать стосвечовой лампочкой жилье отца Филагрия. Тот же купчина одарил стеклянным крестом с многочисленными гранями. «Сваровски», — похвалился имущий и рассказал о чудесном месте в Австрии, где из стекла производят дивные вещи. Колька крест освятил и повесил под образами. Вечерами крест ловил лампадный огонь и, преломляя его своими гранями, превращал свет в разноцветные лучи... Кто-то подарил схимнику японский спиннинг, и вечерами Колька баловался бросками блесны аж на пятьдесят метров. Подсекал щучек и иногда отпускал обратно в озеро, за ненадобностью, так как провизии хватало с избытком. А раз обнаружил в скиту коробку с радиоприемником. Не выдержал и включил. И мир вошел в его уши, разрушая мир его...

В особенности Колька полюбил слушать футбольные трансляции, в которых еще встречались знакомые по молодости фамилии.

Ишь, удивлялся Колька, Шалимов играет еще!..

Через месяц он услышал в новостях, что скончался выдающийся старейший деятель советского и российского спорта...

«Вот и умер старик», — подумал Колька и отчего-то загрустил. Он отслужил по преставившемуся заупокойную и включил старика в список ежедневно поминаемых.

Приехал как-то к Кольке даже депутат. Много говорил и жарко. О детях, о жене, о политике.

— Я в политике, мил человек, ничего не понимаю! — улыбался Колька. — Неведомо мне все это. И про жен и детей мало чего разумею. Монах я... А то, что в молодости было, позабыл!

Потом говорили о душе, как о птице, томящейся

273

в клети человеческих ребер. Говорили о собственной вине, что до такого душу довели. О насаждении порнографии тему затронули, как детские души развращаются и растлеваются.

— Кстати, отец Филагрий, — поинтересовался депутат, — а как вы смотрите на проблему педофилии в православной церкви?

Колька икнул от неожиданности.

— Неведомо мне это. Есть проблема? — спросил.

— Есть.

Напоследок депутат попытался было оставить схимнику мобильный телефон, убеждая, что его душа государственная часто нуждается в правильном совете.

— Разве техника помеха?

— Нет уж, — отказался Колька. — Коли у души проблемы настанут, приезжайте. Как раз за время дороги проблемы и рассосутся.

Депутат был настырный и еще долго пытался убедить отца Филагрия взять мобильник, ссылаясь на то, что в Московской патриархии все с телефонами и не видят в этом священники ничего дурного.

На какое-то мгновение Колька почувствовал раздражение.

— До свидания, — попрощался он.

Депутат уехал, а через два дня, когда Колька выключил лампочку и загасил свечи, готовясь ко сну, в скиту раздался звонок...

Телефон Колька отыскал по звуку. За дровами лежал. Звонил истерически и дребезжал. Колька вышел к озеру, размахнулся было, чтобы закинуть дурной аппарат на глубину, но тот замолчал вдруг, как существо живое, предчувствующее свой скорый конец.

А потом телефон зазвонил снова. Колька нажал на зеленую кнопочку и приставил ухо к трубке.

— Отец Филагрий! — почти кричал депутат — Отец...

Столько боли содержалось в крике депутата, что схимник не выдержал.

— Алло...

— Дорогой вы мой! — обрадовался депутат. — Мне так плохо, так плохо!

— Что случилось?

— Зарядное устройство для телефона там же, за дровами!..

— Вы для этого мне позвонили?

— Господи, что я говорю!.. Душа моя погибла!

— Что случилось?

— Ах!.. Изменил... Изменил жене!.. Что же делать?

— Первый раз?

В трубке замолчали.

— Вы что же думаете, я вам буду по телефону грехи отпускать по три раза на дню?

— Зачем так утрировать!

— Всего хорошего!

— Подождите!.. Подожди...

Голос депутата прервался, так как Колька нажал на красную кнопку. Пошел, отыскал за дровами зарядное устройство и запустил его в темные ладожские воды. Вслед полетела и трубка.

«Вот, — думал схимник, — будет трезвонить на дне, а там рыба-кит спит...»

Проснулся однажды, и первой его мыслью было то, что «Спартак» сегодня в Лиге чемпионов играет. Полежал, понежился, попредставлял, как «Спартаку» «Манчестер» настреляет, и подумал о том, что в России еще не скоро в футбол выигрывать начнут, потому что Родину не любят. Как Родину полюбим, так непременно Лигу выиграем... Колька представил себя нападающим «Спартака», как он выходит на ударную позицию и всаживает мяч в самую девятину...

На следующий день проснулся с переживаниями о проигрыше «Спартака», поел рыбы копченой и хотел было закинуть приемник в Ладогу. Но даже не замахивался. Привык к нему, как к родной вещи...

Назавтра пробудился от болей в желудке и почти целый день просидел над сортирной дыркой, греша на рыбу.

«Вот ведь, если бы сам коптил, а то принесли угощенье», — злился Колька на очередной спазм...

А через неделю проснулся с мыслью, что за последние семь дней, пробуждаясь ото сна, ни разу не застал себя говорящим молитву. Молитвенный ручей пересох... Он тотчас свалился с кровати на колени и несколько часов кряду шептал под образами слова с глубоким смыслом, а потом вторую половину дня сидел как каменный, напуганный до истукана, ждал ночи, а когда она пришла, бухнулся в постель одетым, да не мог заснуть от страха, а потом, когда заснул, то через мгновение проснулся уже утром с осознанием того, что во рту только ужас, а молитвы нет!.. Он опять рухнул на колени перед ликом Всевышнего и закричал:

— Господи! Ответь мне! Господи!..

Но уши его оставались глухими, словно воском залитыми. Тогда он вскочил, схватил приемник и, красный от нервного припадка, кинул его в озеро. Затем утопил японский спиннинг, с легкостью опрокинул в воду генератор, оборвал в скиту электрические провода, а лампочку истоптал до пыли... Все из скита повыкидывал, оставил лишь то, с чем пришел на одиночество семь лет назад... Спросил:

— Слышишь меня, Господи?

А когда ответа не последовало, рухнул схимник на деревянный пол, завертелся ужом, оставляя в расщепленных досках клочья бороды, завыл, будто умирал, и головой об угол до крови бился. И так много времени прошло... А потом он лежал на полу и не двигался. Забывался на несколько часов, потом приходил в сознание и краем его отмечал, что нет в устах молитвы, нет!..

Через десять дней он поднялся на карачки и, обессиленный, повернул голову к Образу:

— Если не хочешь, Господи, признавать меня, если мой подвиг не удался и не заслуживаю я Твоей любви, то дай мне то, что каждому человеку обыкновенному выпадает. Дай, Господи, любви мне простой! Любви человеческой!.. Любви!..

После молитвы он напился воды и покинул скит. Пошел дорогою к монастырю и вскоре прибыл к его воротам. Встреченные послушники и вольнонаемные кидались к нему, прося благословения, но он, потупив взор, прошел мимо страждущих, не смея облегчить их души.

А навстречу схимнику поторопился отец Михаил, и затем они уединились в покоях настоятеля, где отец Филагрий представил иеромонаху просьбу о способствовании сделать заграничный паспорт.

— Зачем? — оторопел отец Михаил.

— В странствие ухожу, — ответил Колька. — На странствие Господь меня сподвиг... — и замолчал.

Более настоятель ни о чем не спрашивал схимника, оставил его жить в своих покоях, а сам отбыл в Санкт-Петербург, где с помощью митрополита не только паспорт выправил, а сделал Кольке шенгенскую визу и еще с пяток других, дабы ничего странствию не мешало...

Уже на пристани, прощаясь, настоятель сказал:

— И вы, отец Филагрий, уходите...

— Разве кто-нибудь еще ушел? — вяло поинтересовался Колька.

— Вы, верно, помните Вадика слабоумного? Мать у него хлебопека?..

— Он-то куда пропал?

Отец Михаил пожал плечами.

— Еще прошлой зимой сказал всем, что за красной водой поедет в Выборг, и исчез... Мы увидели след от велосипедных шин... Шли по льду, по следу, наткнулись на полынью. Отец Гедеон ноги замочил... И Михал Сергеич помер!

— Какой Михал Сергеич? — не мог припомнить Колька.

— Корова наша... От старости... Телку купили взамен, так теперь без молока живем!.. Где быка взять?..

Колька сел в катер, взревел мотор, и отец Филагрий понесся в прошлое...

Первым делом он кинулся в питерский аэропорт и уже через полтора часа сидел в такси, мчащемся к центру Москвы. От такси почти бежал к родному дому, а в мозгу будто стреляло из винтовки: «Надька, Надька!..»

Прыгал вверх через три ступени, так как дети катались в лифте, и наконец допрыгал до знакомой со школьной поры двери. Позвонил два раза в звонок, а у самого руки тряслись от волнения. Никак не мог предполагать, что так взволнуется душа.

Она открыла дверь и совершенно его не узнала. Смотрела вопросительно, все такая же худая, как селедка, с морщинками вокруг глаз и губ. Только не рыжая, крашеная в шатенку...

— Вам кого? — спросила.

— Надька, — пробасил он.

Она смотрела на него, пытаясь вспомнить. но было видно, что у нее ничего не получается.

— Это я, Колька...

Теперь она вспоминала, кто такой Колька, а когда вспомнила, охнула, прикрывая рот ладошкой.

— Писарев?

— Я...

Она оказалась не замужем и без детей. Быстро собрала на стол, и они сидели до позднего дня, вспоминая далекое детство.

— Помнишь Женьку? — спросила она, поморщившись после выпитой рюмки. — Ну, которая на фрезеровщицу училась?.. Ты сох еще по ней?

Колька кивнул.

— Живет в Арабских Эмиратах, — сообщила Надька. — Замуж вышла за араба! Четвертой женой взял, младшенькой! — И заржала хабалисто.

— А ты чердак помнишь? — спросил он.

Через минуту они, по-простецки раздевшись, оказались в кровати, и через тридцать секунд Колька пролился в Надьку передержалым семенем. Шестнадцать лет у него женщины не было!

Она не очень расстроилась. Лежала на животе, показывая Кольке блеклые веснушки на обвисшем заду.

— В тюрьме сидел? — спросила.

— Почти, — ответил он...

Она заснула, а он, полежав еще немного, полюбовавшись на Надькин рыжий зад, оделся скоро и неслышно затворил за собой дверь, унося в груди пустоту...

На улице он увидел знакомую фигуру, ковыляющую с мусорным ведром к баку.

— Эй! — крикнул Колька. — Фасольянц, вы?!

Армянин обернулся, опираясь на палку, и увидел человека в рясе, с бурной растительностью на лице.

— Я Фасольянц, — ответил настороженно. Был совсем стариком и, казалось, плохо видел.

— А я Колька Писарев! Помните? В футбол играли? Вы судьей были?!

— Не помню, — пожал плечами армянин. — Про футбол помню, а про вас... Извините. Столько лет прошло.

— Говорили, что вас жена бросила и что вас парализовало потом?..

— Бросила было. И про паралич правда. Несколько лет в Кимрах гадил под себя. А потом она приехала и забрала меня домой. Отогрела. Теперь, видите, хожу...

— Да благословит вас Господь! — перекрестил Колька Фасольянца.

— Спасибо, батюшка, да только атеист я...

Он доплелся до бака, выбросил мусор и пошел обратно, к своей Джульетте. Проходя мимо, прошамкал, что дети выросли, разъехались и внуков не показывают!..

И опять Колька отправился на вокзал и просил со слезами на глазах билет до Курагыза. Но никто даже не слыхивал о такой станции, пока добрые люди не отвели батюшку к начальнику вокзала, а тот залез в компьютер и нашел Курагыз в казахских степях.

Потом кассирша долго выписывала хитрый билет в сопредельное государство, оформила его как льготный, ибо набожной была, и пожелала монаху счастливого пути.

Он предчувствовал это счастье! В сердце его было прощение!.. Все трое суток пути он повторял наяву и в ночи ее имя:

«Агаша, Агашенька, Гаша...»

Потом, уже приближаясь к цели путешествия, подумал о дяде Моте, и воспоминание смертного греха сделало его тело тяжелым.

Он стоял на станции Курагыз, а метрах в трехстах маялся состав с зеками. Недавний схимник пошел вдоль вагонов, и, что удивительно, — охрана пропустила его, а собаки не рвали поводков, чтобы перегрызть чужому глотку. Он шел вдоль состава и крестил каждое зарешеченное окно, приговаривая:

— Привет передавайте отцу Никодиму. От Писарева Николая...

— Передадим, — негромко обещали из окон. — Передадим...

Он добрался до конца состава и спросил у железнодорожного рабочего, как отыскать курагызскую больничку.

— Захворали, батюшка?

Колька не ответил, а рабочий, потупив взор, сообщил, что туда через полчаса повезут тела с мертвяками.

— Они вас довезут, батюшка!

— Мертвяки?..

Рабочий заржал...

Его взяли в арбу, из которой торчали две пары ног, ослик тронулся в путь, и Колька подумал, что вот так и его, как этих мертвяков, шестнадцать лет назад везли к нежданному счастью...

Он еще издалека услышал ее заливистый смех, словно птичка Божья пела, в сердце вспыхнуло яростной болью, он потер грудь и потерял сознание...

Она так же улыбалась, так же лучились ее глаза на большом расплывшемся лице. Короткий халат едва прикрывал огромный зад. Опухшие ноги сплошь были испещрены лопнувшими сосудиками. Он лежал на больничной койке и смотрел на нее.

— Ты меня помнишь? — спросил.

— Ага, — ответила женщина.

— Это я, твой любовник!

— Ага...

В ней не было разума, зато Господь держал ее под руку, дав на всю жизнь лучистые глаза и бесконечную улыбку.

Потом он поднялся с кровати и вышел в степь. А там старик-казах на деревянной чурке сидит, папиросу курит.

— Майор Ашрапов? — спросил Колька.

Старик даже не посмотрел в его сторону.

— Был майор, — ответил. — Пэнсия у менэ сейчас...

— Я когда-то бывал здесь... Вы меня еще заставили километров двадцать бежать!..

— Скотинэ! — ругнулся старик. — Таких, как ты, много было! И возвращалось русский много сюдэ, но никто не женитсэ на ней! Ты тоже не женитсэ?

Старик Ашрапов взглянул с надеждой на пришлого, а когда тот развел руками и опустил голову, повторил:

— Скотинэ!

— Прости, старик!

— Надо было тебэ яд дать, а не лекарствэ, чтобы сэрдцэ твой умер!

— Прости, старик!..

Ашрапов скинул на землю окурок.

— Ты тогдэ сильный был... Восемнадцать километров пробежал...

— Вспомнил?

— Сейчас слабэй...

— Любил я твою дочь, старик!

— Разлюбэл? — старик сплюнул на свой вопрос и, не дожидаясь ответа, проговорил: — Все русский фэшист! Я не казах, монгол я! Иди отсюдэ!..

Он шел по степи к станции, думая: «Какая мне разница, казах ты или монгол! Мне в твоей нации счастья не сыскать!» Он шел и слышал за спиной ее счастливый смех.

«Прощай, Агаша, — думал Колька. — Видно, незачем в прошлом искать тебя, ты в настоящем или в будущем...»

Через месяц скитаний по осенней России Колька вышел к немецкой границе. Германия встретила его любезным шофером рефрижератора, который удивился, что бородатый русский священник так хорошо говорит на немецком. Вот только с ужасным акцентом!

Ганс довез его почти до самого Берлина. Русский, поблагодарив, далее пошел пешком, рассматривая благостные окрестности. Он вошел в город и долго искал православную церковь, где назвался странником и попросил малость денег на пропитание. Ему эту малость выдали, но в подвиг не поверили...

Проходя по главной берлинской улице, он остановился возле витрины антикварного магазина. То, что он увидел в ней, поразило его до дрожи во всем теле!

— Не может быть! — вскрикнул Колька, глядя на дедовский аккордеон.

Он ворвался в магазин и кинулся к перламутровому инструменту как в собственное детство. Гладил его, перебирал клавиши и щелкал регистрами.

— Хотите приобресть? — спросили за спиной.

Колька обернулся и увидел человека кавказской национальности.

— Бакинец? — неожиданно для себя спросил на русском.

— Да, — удивился хозяин магазина. — А вы что, тоже из Баку?

— А откуда у вас инструмент этот?

— Странный вопрос! Покупать.

— У кого?

— Я не обязан вам отвечать! — перешел на немецкий хозяин.

— Вы украли аккордеон у моего деда!

— Он сам мне его продал! — заверещал азербайджанец.

— Врешь! — озлился Колька. — Дед бы его никогда не продал! Трофей это военный!

Разглядел Колька в глазах бакинца испуг, и вдруг мысль к нему пришла шальная: а не через бакинца ли этого дед погиб?

— Ты погубил деда моего? — косматое лицо Кольки сделалось страшным, он стал медленно надвигаться на азербайджанца. — Отвечай!

А перепуганный сын Каспия уже жал ногой под прилавком на тревожную кнопку, и к магазину неслись полицейские машины...

Кольку отвезли в полицейский участок, и по дороге он вспоминал слова бабки: «Не езди в Германию, даже в турпоездку!» Азербайджанец прибыл в участок на собственном «Мерседесе», чувствовал себя абсолютным хозяином положения.

Он сидел на казенном стуле нога на ногу и курил толстую сигару.

— Он хотел ограбить мой магазин! — пуская струю дыма, сообщил бакинец.

Колька же сразу рассказал о своем деде, который во время войны взял в трофей немецкий аккордеон. Через многие годы ветеран решил отыскать владельцев этого инструмента, но, вероятно, его ограбил этот носатый...

— Я попрошу! — возмутился антиквар.

— А потом деда убили при переходе границы!

— Погодите, погодите, — вдруг сказал полицейский средних лет с погонами майора. — Я что-то такое припоминаю!.. Это было лет тридцать назад?

— Примерно, — прикинул Колька.

— Я тогда только первый день работал стенографистом, может быть, поэтому помню... Был старый человек с русскими медалями... И был у него аккордеон. Я помню!

— Мало ли аккордеонов на свете! — усмехнулся азербайджанец.

— На нем должны остаться следы крови, — сказал Колька. — Пусть проведут экспертизу!

— Да-да, — согласился майор. — Все должно сохраниться в архивах!

Он включил здоровенный компьютер и минут десять трогал клавиши, приговаривая «айн момент».

Тем временем сигара антиквара дотлела до середины, а уверенность сгорела и вовсе.

— Ну что мы время зря тратим! — растянул рот в улыбке азербайджанец. — Я могу и подарить этот аккордеон. Все равно на него за двадцать пять лет никто внимания не обратил!

— Нашел! — обрадовался майор. — На этот инструмент еще претенденты были. Они говорили, что их это аккордеон, фотографию показывали... Некая семья Зоненштраль, Альфред и Анна... Вот адрес есть...

— Позвольте, я сам верну им аккордеон! — предложил Колька.

— Как хотите! — разрешил майор.

— Ну что, даришь инструмент? — обернулся Колька к носатому.

— Я от своих слов не отказываюсь! — с гордостью произнес антиквар и толкнул инструмент ногой.

— Можете идти, — предложил майор. — Конфликт разрешился.

На улице Колька хотел было вдарить ногой по фаре «Мерседеса», но передумал. Азербайджанец нажал на газ, и взвизгнувшие колеса обдали рясу грязью. Колька лишь сплюнул в сердцах. Повесил аккордеон на плечо и пошел искать дом Зонеништралей.

Ему удалось это сделать гораздо легче, чем деду. Уже через полчаса он нажимал на кнопку звонка небольшого, но ухоженного дома. Прождал три минуты, видимо, в доме никого не было, хотел уже уходить, но тут замок щелкнул, и дверь открылась.

На пороге стояла молодая девушка, одетая во все черное. Она была очень худа, и черное обтягивало ее тело.

— Что вы хотите? — спросила девушка у странного незнакомца.

— Я ищу Альфреда и Анну Зонеништраль, — ответил Колька и посмотрел в ее большие карие глаза.

Она удивилась.

— Они умерли, — сказала.

— Прошу меня простить... Вы по ним носите траур?

— Вовсе это не траур. Я всегда ношу черное... Дедушка умер девятнадцать лет назад, а бабушка пять лет, как за ним последовала...

Она по-прежнему смотрела на него с удивлением, а он смотрел на нее, потому что не мог оторвать от ее лица взгляда.

Она улыбнулась, и он огорчился, что у нее такие бледные губы. Наконец произнес:

— Этот инструмент когда-то принадлежал вашей семье, наверное прадеду или деду...

— Откуда он у вас?

— Дело в том, что...

— Не хотите ли пройти в дом?

Колька долго вытирал ноги, а потом вошел в небольшую, но светлую гостиную. Поставил аккордеон на мягкий ковер.

— Кофе? — предложила она.

— Просто стакан воды.

Она пожала плечами и вышла на кухню. Оттуда спросила слегка печальным голосом:

— Вы француз? У вас чудовищный акцент.

— Я русский, — ответил Колька и понял, что нашел то, что искал всю жизнь.

Еще он понял, что Господь внял его последней молитве и подарил ему любовь.

— Спасибо, Господи! — прошептал Колька.

Она принесла ему воды, рукой указала на кресло и сама села неподалеку, уставившись на него карим цветом глаз своих.

— Вы что-то хотели рассказать мне, — напомнила она, взявшись ладошкой за ладошку.

— Да-да, — ответил он, а сам беззастенчиво разглядывал тонкие длинные пальцы с коротко стриженными ноготками.

— Итак... — она улыбнулась, а он так обрадовался ее улыбке, словно вечность ее дожидался без воды и хлеба...

Рассказывал ей до самого вечера, не только дедовскую историю, но и свою. Ничего не пропускал, наполняя ее душу своей жизнью, а она слушала и ловила себя на том, что этот человек каким-то странным образом входит в ее существо, волнует грудь своим мягким голосом, впечатляет грустными, со слезой, глазами...

— Как вас зовут? — неожиданно спросила она, прерывая рассказ на том месте, где он во второй раз, по своей воле, ушел от Агаши.

«Я ушел к тебе», — подумал он и ответил:

— Николай, а вас?

— Миша.

— Русское имя! — удивился Колька. — Только мужское...

— Мне говорили, что французское. Впрочем, какая разница!.. Продолжайте.

Он двигался по дороге своих воспоминаний, а где-то в глубине его нутра уже навсегда прижилось это странное для девушки имя.

Когда он закончил, опустевший от рассказа о собственной жизни, в доме была совсем ночь, лишь вспыхивали на мгновение в темноте кошачьи глаза Миши.

— Ты здесь? — спросил он.

— Да, — ответила она.

— Мой дед убил твоего прадеда...

Странным образом эти слова заставили ее подняться, и она пошла на его дыхание, а он уже раскрывал объятия и совсем не помнил о Боге...

Ее тело пахло первым весенним днем, и на сей раз он был долог и умел, а она стискивала до крови губы, чтобы не закричать, а потом не выдержала и все же вскрикнула, так что окна задребезжали. И он тут подоспел, думая о своей мужской силе с гордыней... Лежал рядом, закинув руки за голову, а она продолжала тихонько стонать... И тут, прислушиваясь к ней, он вдруг осознал, что впервые после обладания женщиной ему совсем не пусто, а наоборот, тело и душа наполнены главным и готовы радоваться и праздновать конец тоски...

Когда он проснулся, солнце било прямо в глаза. Смотрел на него до слез, а потом повернулся к Мише. Лицо ее было бледно, глаза закрыты, и, казалось, она крепко спала. Он погладил ее по щеке, провел пальцами по сухим губам... Ему захотелось увидеть ее обнаженной, и он сбросил одеяло... Ее нога была неестественно вывернута, словно сломался коленный сустав. Вокруг колена поражал своей огромностью синяк... Правая рука девушки была подогнута под спину... Ему показалось, что она мертва, а в следующий момент он подумал, что сам убил ее в порыве страсти. Ее маленькая розовая грудь поникла, словно сорванные персики полежали на жаре. И тогда он закричал:

— Миша!.. Миша!!!

Она открыла глаза, вновь закрыла и застонала.

Он целовал ее лицо, а она шептала:

— Ты не виноват... Не виноват... Там возле телефона бумага... Доктор Кальт... Скажи, что Миша просила срочно...

Он выскочил из постели и уже через мгновение набирал телефонный номер...

Доктор уверил, что будет через пятнадцать минут, а когда приехал, оказался злым стариком. Он толкнул Кольку пальцами в грудь.

— Сюда не входить! — и закрыл перед его носом дверь в спальню.

Появился вновь только через час.

— Я не знаю, как это получилось... — начал оправдываться Колька.

— Зато я знаю! — заявил старичок. — Давно вы знакомы с Мишей?

Колька не ответил.

Здесь доктор Кальт увидел стоящий на ковре аккордеон.

— О Боже! — воскликнул он. — Где вы его взяли? Этот инструмент принадлежал Ральфу и исчез, когда его убило осколком гранаты! Я его пытался тогда спасти, но проклятый кусок металла пробил лобную кость! Ральф погиб, а аккордеон пропал!

— Этот инструмент взял в трофеи русский солдат! — объяснил Колька. — Теперь потомок этого русского солдата возвращает его обратно! Я — потомок!

— Да-да... Я не был фашистом! — вскинулся доктор. — Я был армейским врачом!

— Что вы так нервничаете, как будто я вас убивать собираюсь?

— Я не нервничаю вовсе! Я вспоминаю... Так вот, — сказал самую суть доктор Кальт. — У Миши редкая болезнь. В народе ее называют стеклянной.

— Я не знаток в медицине...

— Это когда в костях нет кальция, и они ломаются, как спички! Как вы еще ее всю не переломали!

Доктор уселся в кресло, как у себя дома, то и дело бросая на Кольку злобные взгляды.

— Как же это она решилась? — рассуждал он. — Ведь знала, что может запросто погибнуть!.. Столько молодых людей из богатых семей стояли перед ней на коленях!.. Кстати, вы стояли, беззубый любовник?

— Нет, — признался Колька, прикрывая рот рукой.

— Надо полагать, что вы и не богач?

— Я богат любовью! Во мне ее столько, что хватит на вечность!

И здесь злобный старикашка нанес русскому тяжелейший удар.

— Я верю, что вы будете любить ее вечность!.. Но вам придется любить только ее душу, телом можете любоваться как художник, в остальном же — полный запрет! Навсегда!.. Второго раза она не выдержит!.. Кстати, вы — художник?

Он ухаживал за ней два месяца, пока кости не срослись. Выносил утку, обтирал тело влажными полотенцами, сам готовил нехитрую пищу, но при этом молчал.

Она жалобно просила, чтобы русский поговорил с ней, но он стоически продолжал молчать. Она плакала и обещала, что непременно сойдет с ума, если Колька хотя бы одного слова не скажет! А он молчал, только чернел день ото дня лицом. С ней случались истерики, и тогда она проклинала его, называя убийцей прадеда, русской свиньей! Случались ругательства и посильней, но он по-прежнему был рыбой, и тогда она просила простить ее и просто пожалеть!.. Он промолчал два месяца... А когда с нее сняли гипс и она, еще слабая, лежала на простыне совершенно обнаженная и прекрасная, а он лицезрел эту муку мученическую, вот тогда он, густо сглотнув, сказал:

— Я отвезу тебя в дивный мир, где ценят стекло лишь за то, что оно прекрасно и услаждает только взор!

Колька взял на плечи трофейный аккордеон и сыграл гимн Советского Союза. Сыграл фальшиво, так как культя обрубленного пальца не доставала до клавиш.

А потом он взял в аренду автомобиль, «Мерседес-Авант», расплатившись ее кредитной карточкой, поднял девушку на руки и положил на просторное заднее сиденье.

— Я отвезу тебя в музей «Swarovski»! — сказал он и нажал педаль газа.

———

8.

Роджер играл самозабвенно. И зрительный зал, и оркестранты во главе с Мишей — все перестало для него существовать. У Костаки даже поднялась температура, кожа лица покраснела, скрывая прыщи, он выхватывал из чехлов палочки, словно заправский фокусник, и играл, играл...

Время летело стремительно, переворачивались страницы партитур, отсчитывались цифры, и наконец глаз Роджера заскользил к тридцать девятой, где с третьего по седьмой такт стоял значок легато.

— Ха-ха! — в голос рассмеялся Костаки, выдернул с пояса палочку по имени Фаллос и со счастьем в душе сыграл вместо легато стаккато. После этого он тотчас поднял глаза на Мишу, встретил его ненавидящие зрачки и испытал потрясающее удовлетворение.

Далее он вновь погрузился в музицирование, пока Миша не взметнул к небу руки, потрясая ими в ознаменование финального апофеоза...

За кулисами Роджер сразу заметил, что дирижера трясет от злости. Над почти лысым черепом вознеслись седые волоски, а стекла очков запотели, будто Миша только что побывал в финской парной.

— Зайдите ко мне! — почти прошептал дирижер. — Немедленно!

— Всенепременно, — подчинился Роджер и зашагал за маэстро в его кабинет.

Даже в собственном офисе Миша продолжал трястись, и Роджер вспомнил, как когда-то в Индии подхватил лихорадку и вот так же трясся в течение нескольких дней.

А великий музыкант чуял носом запах пота, и сия добавка к происшедшему еще более выводила его из себя, так что он сказал по-русски в воздух несколько непонятных для Роджера слов, и тут же равновесие вернулось к нему.

«Поистине чудесные слова!» — подумал Костаки.

— Вы уволены! — наконец разродился Миша.

Роджер в ответ только заулыбался.

— И на ваше спонсорство мне совершенно наплевать! Я сам буду спонсировать оркестр, лишь бы вы исчезли с моих глаз навсегда!

— Вы гражданин какой страны? — поинтересовался Роджер. Температура его тела вернулась к обыкновенной, и на лице вновь заалели прыщи. — Вы в России не играете, потому что мало платят или музыку не любят?

— Вон отсюда! — заорал Миша.

— А я ведь могу и по морде! Вы же не духовик? Губы вам не нужны?..

Маэстро опешил от таких слов и замер с открытым ртом. Ему было уже к семидесяти, и получать по роже в таком возрасте не хотелось.

— Не бойтесь! — еще раз улыбнулся Роджер. — Я вас не трону! Вы же великий музыкант! — сказал и пошел к двери. На мгновение остановился, обернулся и произнес: — Поеду в Австрию, в музей «Swarovski»!..

Выйдя из «Барбикан Центр», Роджер отправился домой пешком, так как мотороллер не завелся. Проходя мимо церкви Святого Патрика, он вспомнил, как через четыре года работы в Финляндии, посреди сезона, пришел к директору оркестра и попросил полтора дня отпуска.

— Вы что, с ума сошли! — схватился за сердце финн.

— Как раз на следующей неделе есть день, когда будет только репетиция. Мне нужно в Лондон.

— Ни за что! — был непреклонен директор.

— В таком случае, — заявил Костаки, — я увольняюсь!

— У вас контракт! Будете платить неустойку!

— Я готов, — Роджер достал из кармана пиджака чековую книжку. — Хотя я спонсирую ваш оркестр, можно про неустойку и забыть!

Директор замолчал на целых десять минут, Костаки терпеливо ждал.

— Вы обещаете, что вернетесь к концерту? — наконец выцедил директор, который чувствовал себя, как будто ему выломали руки.

— Обещаю! — прижал к груди чековую книжку Роджер. — У меня здесь женщина!

— Передавайте маме привет!..

Во вторник днем Роджер вышел из аэропорта «Хитроу», сел в кеб и назвал водителю адрес.

Приехал к церкви Святого Патрика. Шла вечерняя служба, и в священнослужителе Роджер признал отца Себастиана.

Костаки ухмыльнулся и скорым шагом направился к алтарю. Поднялся по ступенькам и в ответ на вопросительный взгляд отца Себастиана крепко взял того за ухо и потащил к выходу.

— Помните, как вы меня так же волокли десять лет назад? Помните, что я обещал вернуться через десять лет, когда стану взрослым? Я вернулся!

Священник семенил между скамеек с окаменевшими прихожанами на цыпочках, так как Костаки задирал ввысь его ухо. Было больно и отчаянно стыдно.

Они вышли на улицу, под моросящий дождь.

— Кажется, все, — проговорил Костаки, отпустил горящее ухо отца Себастиана и пошел своей дорогой.

Сию картину наблюдал конный полицейский, прихожанин оскорбленного священника. Сначала он тоже превратился в статую на коне, а потом, пришпорив лошадь, догнал святотатца и, размахнувшись, ударил резиновой палкой преступника по голове. Волею случая промазал, резина лишь чиркнула по плечу.

Неожиданно Роджер проявил ловкость, ухватился за дубинку, стащил полицейского с лошади и с необыкновенным рвением принялся избивать стража порядка ногами, приговаривая:

— Не суйся не в свое дело! — учил. — Не суйся!

Когда неловкий служивый потерял сознание, Роджер что было сил вдарил резиновой палкой по крупу лошади. Взбрыкнув, она заржала и помчалась аллюром по улице, растаяв через мгновение в вечернем тумане.

Через час Роджер был снова в «Хитроу», а еще через три сидел рядом с обнаженной спящей Лийне и разговаривал по телефону с директором оркестра.

— Я в Хельсинки, — сообщил Костаки, поводя ушибленным плечом. — Так что не стоило волноваться!..

— Маме привет передали?

Роджер хмыкнул. Про Лизбет он в Лондоне даже не вспомнил...

Конечно же, она не призналась доктору Вейнеру, что знает причину своей болезни. При встрече с Алексом она делала недоуменное лицо и говорила:

— Откуда же у меня лучевая болезнь?

— И мне неясно! — отвечал доктор.

— Сколько мне осталось жить? — поинтересовалась Лизбет.

Мистер Вейнер задрал брови, скрестил пальцы и проинформировал пациентку честно.

— Трудно сказать... Все зависит от вашего организма. Насколько он силен... Может быть, семь лет... А может, и пятнадцать!

Про пятнадцать он соврал, да и семь лет для этой некрасивой женщины было бы везеньем.

— Только надо лечиться! — погрозил пальцем Алекс.

Каждые три месяца доктор Вейнер созывал консилиум, в который входили лучшие специалисты Лондона по такого рода заболеваниям. Вместе они вырабатывали решение по дальнейшему лечению Лизбет. Она во всем подчинялась докторам и во время «химии» только улыбалась.

— Потрясающая женщина! — восхищался ею перед коллегами Алекс. — Необычайная сила воли!

— У нее есть дети? — спрашивала гематолог, прибывшая по обмену из США. Она была чернокожей и очень возбуждала в докторе Вейнере сексуальное.

— У нее есть сын! Представьте себе, что лет двадцать пять назад я принимал у нее роды! Родился мальчик. Теперь он играет в симфоническом оркестре, в Финляндии, если я не ошибаюсь...

— На чем? — поинтересовалась гематолог.

— Увы, — развел руками Алекс. — Мне это неизвестно...

Как-то Лизбет, глядя в зеркало, провела рукой по волосам и все до единого сбросила их на пол, оставшись совершенно лысой.

Она долго оглядывала себя обновленную, и ей даже понравился нынешний ее прикид. Лизбет решила не носить париков, ходить так. Только надо лысину кварцевой лампой засветить, чтобы она не была такой бледной...

На четвертый год болезни Лизбет, отощавшая до костей от всевозможных процедур, купила «Харлей», к нему кожаную куртку и стала ездить в больницу на мотоцикле.

А как-то она увязалась за компанией байкеров, которые неслись по Пикадили, пристроилась в хвост стаи и оказалась в предместье Лондона, в каком-то поле, где собрались мотоциклисты всех мастей. Над ней посмеивались, а некоторые почтительно здоровались, считая Лизбет бабушкой всех байкеров.

Она послушала их песни, они ей понравились, и с этого дня Лиз стала приезжать на байкерское поле почти каждый день. Только теперь она брала с собой выпивку и небольшую палатку. Сама не пила, отдавала бутылки в общий котел, ни с кем не разговаривала, только слушала других. На ее измученном лице блуждала таинственная улыбка, и большинство байкеров считало, что она постоянно на порошке.

Как-то Лизбет стало плохо, и она отошла за палатку, где ее вытошнило какой-то зеленью. Сие неприглядное увидел какой-то малый лет двадцати пяти, удивительно похожий лицом на Роджера, даже такой же прыщавый. Лизбет аж вздрогнула от такой схожести.

— Чего, тетка, — спросил малый, — переширялась?

Она виновато улыбнулась в ответ.

Похоже, что малый сам был после дозы, а оттого веселый. Это его и отличало от Роджера. Тот не был веселым никогда.

— А хочешь, тетка, я тебя трахну? — спросил малый, любящий в этот момент весь мир. — Поди, лет десять тебя никто не трахал.

— Больше двадцати пяти, — ответила Лизбет.

— Да как же ты выжила? — изумился парень. Она пожала плечами.

— Как-то...

— Так хочешь?

И вдруг неожиданно для себя она ответила: «Давай», — и полезла в палатку. Внутри парень уже не был таким веселым, тем не менее он ухватил Лизбет за зад и принялся расстегивать молнию на своих джинсах.

А она представила, как ею овладевает сын. Тотчас желудок ответил спазмом, и ее чуть не вытошнило здесь же.

— Ты прости меня! — оттолкнула Лизбет парня. — Не смогу я!

— А мне как быть? — вскинулся малый. — У меня прибор наизготовку!

— Прости! — Она вытащила из сумки все, какие были, деньги и сунула ему. — Пойди, найди какую-нибудь красивую девчонку и пригласи ее куда-нибудь. Зачем я тебе, старуха? Я скоро умру!..

Он взял из ее руки деньги, сказал напоследок: «Прощай, бейби», — и со спущенными штанами вылез из палатки.

Лизбет легла на надувную подушку и подумала о сыне. Подумала самую малость, а слезы на глаза пришли.

На следующий день она заперла «Харлей» в гараж, надела вместо кожаной куртки старомодную кофту и на такси приехала в клинику. Сегодня, впрочем, как и всегда, она стоически переносила процедуру химиотерапии.

— Гениальная женщина! — восхищался доктор Вейнер...

К концу их совместного существования Лийне завяла, словно перележалая дыня. Девять лет она не знала мужчины, а оттого что-то нарушилось в ее организме, она стала безразличной почти ко всему, кроме еды.

Иногда Роджер просыпался среди ночи и наблюдал у открытого холодильника женщину, пожирающую сервелат прямо от батона. Холодный свет морозильника падал на ее большое обнаженное тело, и Костаки про себя отмечал, что огромные груди финки стали еще более огромными, только теперь не смотрели сосками в небо, а мертвыми глазами свисали к пупку, как охотничьи трофеи.

«Бр-р-р», — ежился Роджер, наблюдая, как в глотке Лийне вслед за сервелатом исчезают вчерашние спагетти с маринованными огурцами.

Она могла выпить до трех литров молока за один присест.

Роджер одновременно и боялся ее, и восторгался!

— Тебе надо выступать на конкурсах «Кто больше съест»! — предлагал он. — Имеешь шанс!

— Ты так думаешь? — вяло отзывалась Лийне.

— Определенно! Ты знаешь, я уезжаю...

— Куда? — поинтересовалась она, запуская указательный палец в банку с малиновым джемом.

— В Лондон.

— Надолго?

— Навсегда. Меня пригласили в Национальный оркестр. Это большая честь!

Она громко отрыгнула.

— Бросаешь, значит?

— Я же тебя никогда не любил!..

— Ты очень жестокий человек! — Из ее глаз вытекли две огромные слезины и скатились в мороженое. — Ты превратил меня в корову, у которой нет молока. Она все жрет, а молока все нет! Вот дура, не понимает, что сначала необходимо отелиться, а потом и молочко появится!

— Посмотри на себя в зеркало! — разозлился Костаки. — Ты хочешь, чтобы твой ребенок походил на тебя?

Она завыла от ненависти к нему и к себе.

— Заведи себе собачку! — посоветовал он. — Вместе жрать будете!..

В последнюю ночь перед отъездом, когда Роджер спал и ему грезились музыкальные триумфы, она чуть не перегрызла бывшему другу горло. Вцепилась зубами в кадык, зарычала и рванула что было силы.

Он проснулся от страшной боли и, увидев ее с окровавленным ртом, наотмашь ударил Лийне кулаком в лицо. На мгновение ему показалось, что это и не лицо вовсе, а задница! Она рухнула с кровати на пол, он прыгнул следом, чтобы добить, но жирная финка уже вовсю храпела, а из кровавого рта рассеивались по комнате коньячные молекулы.

На следующий день она провожала его в аэропорт. Шла за ним с его чемоданами действительно как корова и приговаривала:

— Ты английская свинья!

Он кивал, соглашаясь.

— Подонок!

— Да-да...

— Ты украл мою жизнь!

— Да-да...

Взлетая, он вдруг подумал, что будет скучать по ней. Роджер закрыл глаза, пытаясь представить себе ее лицо, но воображению представлялась только огромная задница. Далее он заснул...

Она сутки просидела в аэропорту и все глядела в небо, куда вознесся ее возлюбленный...

Как-то раз, зайдя к Мушарафу купить какую-нибудь антикварную мелочь, Роджер по приглашению индуса спустился с ним в офис попить кофе да поболтать о том о сем. По телевизору шли новости изо всех горячих точек мира. Мужчины обсуждали политику Британии, когда в завершение новостного блока показали сюжет о чемпионате мира по пожиранию хот-догов.

На экране возникло женское лицо с открытым ртом, в котором исчезали с невероятной скоростью вереницы сосисок, а голос диктора сообщил, что на сей раз победила финская девушка Лийне Коломайнен.

— Я с ней жил девять лет! — вскричал Роджер, напугав Мушарафа. — В Хельсинки! Это я ей посоветовал участвовать в соревнованиях!

— Ты ее любишь? — поинтересовался индус.

— Что ты!.. — махнул рукой Костаки.

— Мне такие женщины нравятся! — сказал Мушараф, и его черные глаза заблестели.

— О чем речь? — хохотнул Роджер. — Поезжай в Хельсинки в турпоездку! Адрес ее я тебе дам!

— И что я приеду? Она меня взашей вытолкает!

— Не вытолкает!.. Скажешь, что от меня!..

— И дальше что?

— Теперь слушай меня внимательно! — поднял указательный палец Роджер. — Главное, — он понизил голос, — главное, чтобы она выпила пятьдесят граммов коньяка!

Через месяц сын индийского народа вернулся в Великобританию и задал своему товарищу нескромный вопрос:

— Почему ты с ней не спал?

— Я спал.

— Я имею в виду, как мужчина с женщиной, — уточнил Мушараф.

Роджер пожал плечами и принялся рассматривать балийский колокольчик семнадцатого века с бронзовой крысой вместо ручки.

— Ты знаешь, — продолжил индус, — она потрясающая женщина! В ней столько темперамента неизрасходованного! Она за неделю потеряла десять килограммов веса!

— Я знал, что ты не подведешь! — отозвался Роджер и позвонил в колокольчик.

— А еще, — Мушараф понизил голос, — а еще она позвонила мне на прошлой неделе и сказала, что беременна...

— Поздравляю!

Костаки почему-то испытывал раздражение на Мушарафа, а представив себе Лийне беременной от индуса, и вовсе почувствовал отвращение.

— Ты знаешь, я всегда мечтал о ребенке!

— Она тебе родит, — подтвердил Роджер и протянул Мушарафу колокольчик. — Крысу родит!

Сквозь смуглую кожу на лице индуса проступил румянец.

— Конечно, ты мой товарищ и ты познакомил меня с Лийне, но теперь меня много связывает с ней, так что прошу тебя не ранить мои чувства!

— Хорошо, — согласился Костаки и «не прощаясь» вышел из магазина.

Они не общались несколько месяцев, пока Мушараф сам не позвонил и не сообщил, что перевез Лийне в Лондон и пять дней назад она разродилась мальчиком.

— Она назвала моего сына твоим именем! Я был против, хотел, чтобы в честь деда, но она настояла! Очень сильная женщина!

После этого сообщения у Костаки долго щипало в носу, и он даже закапал в ноздри капли от простуды...

Мужчины, как и раньше, стали встречаться в магазине Мушарафа, но как ни приглашал индус прийти в гости посмотреть ребенка, Костаки всегда находил причины, чтобы отказаться...

После переезда из Хельсинки в Лондон Роджер лишь через два года навестил мать и нашел ее сильно изменившейся.

— Я работаю в Лондонском симфоническом! — объяснил он причину приезда. — Я живу в съемном доме.

— Почему не в нашем? — спросила Лизбет.

— Каждый человек имеет право на одиночество... Кстати, тебе очень идет быть лысой! — сказал Костаки и подумал, что теперь ее лицо, лишенное обрамления волос, стало точной копией задницы. — Пока!..

— Сколько мне осталось? — спросила она на следующий день у Алекса.

А он подумал, что эта исхудавшая до костей женщина пережила все мыслимые и немыслимые отпущенные ей медициной сроки. Еще он подумал, что есть Бог, который любит эту странную и одинокую женщину, и что он, доктор Вейнер, раб Божий, делает все возможное, чтобы Лизбет жила как можно дольше!..

— Может быть, год, — ответил Алекс и сам в это не поверил...

Через неделю после того, как Роджера Костаки уволили из оркестра, он сел в самолет и прилетел в Австрию. Арендовал в аэропорту машину и поехал через всю страну в местечко Ваттенс, к новому месту работы.

«Эти австрияки, пожалуй, и по-английски не разговаривают?» — размышлял Костаки в пути, но в первом же придорожном кафе его вкусно накормили и рассказали на хорошем английском все местные новости.

Болтливые, сделал вывод Роджер...

Лишь поздней ночью он добрался до «Swarovski». Несмотря на поздний час, его ждал директор музея, назвавшийся герром Риделем. Он долго говорил о невероятном счастье заполучить к себе столь выдающуюся звезду мировой музыки и о том, что теперь их ждет еще большее процветание! После вступительного слова герр Ридель предложил герру Костаки отужинать в его скромном доме.

— Моя жена будет рада знакомству со всемирно известным музыкантом!.. Австрийские женщины так мало видят! У них ведь вся жизнь три «К»! — После недоуменного взгляда Роджера герр Ридель расшифровал: — Кирха, кюхен, киндер! — и, расхохотавшись, перевел шутку на английский: — Церковь, кухня, дети!

Костаки ради приличия улыбнулся, от ужина отказался. Он поселился в хорошем пансионе, неподалеку от места работы. В пансионе имелась достопримечательность — попугай Лаура, которая была знакома с Гитлером, останавливавшимся в гостинице в тридцать третьем году. Каждый раз, спускаясь к завтраку, Роджер мечтал удавить Лауру, но не за то, что она зналась с палачом всех народов, а за ее возраст. Лауре исполнилось сто четырнадцать лет, и говорили, что проживет она как минимум еще столько же!..

Его потрясло то, что он увидел в музее! Ценитель прекрасного, он двое суток, лишь с перерывом на ночной сон, бродил по залам и восхищался стеклянными шедеврами. Его допустили даже в запасник, где хранились вещи уникальные, предназначенные для государственных подарков... Казалось, что стекло «Swarovski» вобрало в себя само солнце, столь блистательным оно было!

Роджер с превеликим удовольствием сел в кресло, помещенное в нише под потолком самого большого зала, поставил перед собою пюпитр с нотами, достал из чехла палочку и кивнул герру Риделю. Директор ткнул в кнопку проигрывателя, и зал наполнился гениальной музыкой Шостаковича.

Глаза Роджера были прикрыты, он наслаждался музыкой, сливаясь с нею посредством волшебных звуков треугольника, а герр Ридель, наблюдающий за первым выступлением Роджера Костаки, мысленно вопрошал себя, отчего небо обошло талантом его!

А Роджер, добравшись до тридцать девятой цифры, с несравненным наслаждением выхватил из чехла Жирнушку и отыграл ею вместо написанного легато восторженное стаккато.

— Стаккато! — шептали его губы. — Стаккато!..

Костаки не заметил, как пролетели первые три месяца его работы в музее. От исполнения музыки, угодной его душе, Роджер даже несколько умиротворился и стал ходить в гости к герру Риделю, жена которого прекрасно готовила свиные ножки и была набожной женщиной. Детей у четы Риделей не было.

Как-то Костаки, заканчивая обед вишневым пирогом, проговорил почти про себя:

— Кирха, кюхен, киндер...

Фрау Ридель не сумела скрыть набежавших слез, а ее супруг, покраснев, оправдывался за Костаки, мол, это он ему немецкую шутку рассказал.

Как-то в пятницу, вечером, когда свиные ножки

были съедены и запиты местным пивом, герр Ридель поведал Роджеру странную историю.

Он рассказал, что утром к нему обратился какой-то человек с бородой по пояс и волосами по плечи. На человеке было надето что-то вроде сутаны, но необычного кроя, к тому же платье его было нечистым и старым. Человек назвался русским странником и предложил герру Риделю бесплатный экспонат невиданной красоты. Стеклянная женщина в полный рост! Для ознакомления с экспонатом странник пригласил директора музея в комнату пансиона, где герр Ридель обнаружил живую женщину, действительно невиданной красоты, но совсем не из стекла, а из плоти и костей. Но русский настаивал, что женщина стеклянная, что она феномен и столь же хрупка, как стекло.

— Вы понимаете, что я был вынужден тотчас уйти! — сказал герр Ридель. — Этот русский какой-то сумасшедший! Кстати, он поселился в вашем пансионе!

«Не хватало в пансионе только русских психов», — подумал Роджер...

На следующее утро музыкант увидел русского за завтраком. Прошло лет десять, но он его узнал.

— Отец Филагрий! — неожиданно для себя вскричал Роджер и вскочил.

Русский с удивлением посмотрел на приближающегося человека и проглотил находящийся во рту творог.

— Вы не узнаете меня? — с вопросом уселся рядом с русским Роджер.

Монах отрицательно покачал головой.

— Мы встречались! На острове Коловец! Вы тогда схимником были!

— Это вы на колоколах играли? — вспомнил русский.

306

— Вот видите... — Роджер машинально отщипнул от хлеба кусочек и положил в рот. — Невероятно после России встретиться здесь, в Австрии...

— Что же невероятного? — поинтересовался странник, возобновив поедание завтрака.

— Говорят, с вами женщина?

— Кто говорит?

— Герр Ридель... Директор музея... Я работаю в музее музыкантом.

— Для чего в музее музыкант?

— Я играю на треугольнике... Это как бы музыка стекла...

— Незавидна роль игрока на треугольнике! — русский положил в тарелку еще творога и обильно залил его вареньем. — Но кому на роду написано быть солистом, а кому аккомпаниатором! — сказал.

Роджер хотел было разозлиться, но не смог. Он покачал головой и ответил:

— Вы правы... Кому на роду написано быть схимником, а кому туристом!

Колька вдруг захохотал, да так громко, что откликнулась Лаура, прокричав троекратно: «Хайль Гитлер!»

— Герр Ридель сказал, что вы не один прибыли сюда? — продолжал интересоваться Костаки.

— Верно, — согласился русский, отсмеявшись. — Кстати, — встрепенулся Колька, — вдруг вы мне поможете? Вы же ценный музейный работник!..

— Мне герр Ридель говорил, что вы привезли с собою женщину? Стеклянную?..

— Да-да! Именно стеклянную! И вы должны посодействовать, чтобы ее устроили в музей!

— Но герр Ридель утверждает, что женщина живая...

— Хотите посмотреть? — предложил странник.

— Отчего же нет...

Они вышли из столовой, и Роджер, шагая вслед за русским, испытывал странное волнение, можно даже сказать, смутное предчувствие, но **что** предчувствовал Костаки, было неизвестно ему самому.

Русский вставил ключ в замочную скважину, обернулся к Роджеру и спросил:

— Готовы?

Костаки кивнул и ощутил, как с ладоней стекает пот.

Схимник толкнул дверь и взмахнул руками:

— Смотрите!

Она лежала на кушетке с гнутым подголовником, и в ее огромных глазах заключалось страдание.

— Это она! — произнес схимник и закрыл за собою дверь.

Когда Роджер увидел ее, то испытал такое чувство, словно в грудь ему залили расплавленный свинец. Ноги его затряслись как от голода, а пот с ладоней потек на ковер ручьем.

Тем временем русский продолжал нахваливать экспонат.

— Уникальной красоты женщина! Редкая болезнь сделала ее кости стеклянными! Одно неосторожное движение — и жизнь можно разбить, словно стекло! Где ей еще место, как не в музее! Живое стекло!

А Костаки все продолжал смотреть на женщину и приходил в огромное смущение от чувств, постепенно завладевающих его душой. Он чуть не заплакал, когда увидел кисть ее руки, выглядывающую из-под пледа: тонкую, бледную, с длинными сухими пальцами.

— Ее зовут Миша.

Роджер вздрогнул.

— Да-да, — подтвердил странник. — Мужское русское имя.

— Роджер, — назвался музыкант и покраснел. — Костаки...

Она слегка качнула головой и слабо улыбнулась бесцветными губами.

Ее улыбка, будто стрела амура, попала в сердце Роджера и нанесла ему рану. Впрочем, болело сладко...

— Здравствуйте, — прошептал музыкант.

— Ну что, — поинтересовался русский, — будете способствовать, чтобы ее в музей приняли?

— Конечно, конечно!

— А теперь пойдемте пить кофе!

Странник почти вытолкал Роджера из комнаты, но тому показалось, что он успел перехватить взгляд прекрасной девушки, и почудилось ему, что взгляд этот молит о помощи!

Они сидели в баре, и кофе то и дело попадал Роджеру не в то горло.

— Скажите, — попросил он, откашливаясь, — скажите... Помните, когда я был у вас на острове, вы поведали мне, что злость во мне от сокрытой любви. Помните?

Русский пожал плечами.

— Ко мне по нескольку человек в день приходили... Всего, что говорил, не упомнишь.

— Вы ее имели в виду? — с жаром в голосе спросил Роджер.

— Да что вы! Я ее знаю всего пару месяцев! К тому же десять лет назад она была ребенком!

— Так про кого вы говорили?

— Понятия не имею!.. — Глаза схимника вдруг стали хитрыми, и он предложил: — А давайте меняться?

— Что на что? — непонимающе спросил Роджер.

— Я предлагаю вам Мишу... Вы сами устраиваете ее в музей... Ведь она понравилась вам?

— Что должен я? — поинтересовался Костаки, и голос его дрогнул.

— Малость... Мне нужен билет до Санкт-Петербурга...

Роджер прочистил горло.

— Я согласен...

— У вас есть при себе деньги?

— Да-да, — торопливо ответил Костаки, отер потные ладони о брюки и вытащил из заднего брючного кармана несколько бумажек по пятьсот евро. — Этого хватит? Если нужно, я тотчас поднимусь в свою комнату и принесу сколько надо.

— Этого достаточно, — ответил русский, не считая, спрятал деньги и протянул музыканту ключ.

— Мне?..

— Вам, вам! — подбодрил схимник. — Ключ от стеклянного счастья!.. Как я обманут...

— Что вы сказали? — не расслышал последнего Роджер, взяв в дрожащую руку ключ.

— Да так... — Глаза русского перестали быть хитрыми, показалось на мгновение, что слезы накатили на черные зрачки под густыми бровями. — Для вас это неважно... Прощайте!

Он встал, одернул подрясник, руки не подал и вышел из гостиницы. Сел в арендованный автомобиль и помчался в Вену...

Подлетая к Санкт-Петербургу, он глядел в иллюминатор на Ладожское озеро и плакал. Слезы стекали по его лицу открыто, прячась в густой бороде.

— Вам плохо? — спросила стюардесса с голубыми волосами Кольку.

— Да, — ответил он.

— У нас есть аспирин...

Продолжая плакать, он улыбнулся, показывая голубоволосой девушке черный провал вместо передних зубов.

— Ступай, милая! Мне уже лучше!..

Первый же попутный грузовик взял батюшку и повез на военную базу, откуда летали вертолеты до Валаама.

Когда Колька после долгой разлуки услышал рев Ладоги, не желающей встать подо льды, он вновь заплакал, но почти ураганный ветер осушил лицо в мгновение одно.

— Когда полетим? — спрашивал он у майора.

— Непогода, батюшка! — отвечал военный. — Как только ветер поутихнет, тогда... А пока идите в вагончик, там матрасы есть...

Колька трое суток лежал и глядел из окошка вагончика в озерную даль, пытаясь высмотреть родной Коловец. Иногда ему казалось, что видит он маковку храма, тогда душа в груди сжималась, словно у ребенка, которому обещали что-то, но неизвестно, когда дадут... Он спал, и во сне к нему приходили различные видения. Приснился Зосима с Валаама, а потом Миша в сон вошла, совсем здоровая... А потом кто-то на ухо принялся орать!

Колька проснулся и увидел над собой лицо майора.

— Летим, батюшка! — кричал летчик.

Сон разом покинул его. Колька вскочил на ноги и побежал за военным.

Ветер поутих, но совсем немного. По-прежнему выл, заглушая вертолетные моторы. В кабине было так холодно, что на стенках проросла изморозь.

— Немного потрясет, батюшка! — предупредил пилот.

Трясло так, что казалось, сам черт душу вытрясти возжелал. Из иллюминаторов не видать ничего — снег залепил стекло. А в животе у Кольки, несмотря на погодные условия, так сладко было, как не случалось уже давно.

В кабине появился майор.

— Валаам, батюшка! — прокричал он. — Сядем на минуту, провизию выгрузим, а потом на Коловец!

— Хорошо, хорошо! — кивал головой Колька.

А потом они чуть не разбились. Вертолет попал в струю урагана и рванулся с небес.

Колька не испугался, только крестился быстро, вспоминая молитвы. Почти над самой озерной поверхностью машина неожиданно выправилась, дернулась еще несколько раз, а потом вновь набрала высоту... Через час они сели на Коловце.

— До свидания, батюшка! — прокричал майор, но Колька не ответил, а быстро шел, опустив голову.

Он спешил к скиту и слышал за собой:

— Вернулся... Схимник наш вернулся!

А он шел все быстрее, пока его не нагнал отец Михаил.

— Вернулись?..

Колька вытащил паспорт и протянул настоятелю.

— Сожгите! И прошу вас, не пускайте ко мне никого. Год не пускайте! Грешен я...

Отец Михаил счастлив был возвращению схимника, а потому со всем радостно соглашался.

— Сожгу паспорт! И никто к вам, отец Филагрий, не придет! Я вам за это ручаюсь!..

После этих слов настоятель отстал, а Колька почти побежал к скиту, а когда добрался и вдохнул сосновый дух, бросился грудью на пол, раскинув руки и закрыл глаза...

Он лежал так недвижимым пять дней. Он почти умирал от холода и жажды. Его человеческое сознание превратилось в ледышку, лишь обмороженная душа дергалась за грудиной.

А к ночи его спросили:

— Каешься?

И этот вопрос освободил от заморозков его сознание, он открыл глаза и ледяными губами прошептал:

— Каюсь! — Потом встал на карачки и повторил: — Каюсь!..

А еще потом он поднялся на ноги, душа расправилась, и закричал Колька Писарев во все горло:

— Ка-юсь!!! Ка-юсь!!! Ка-ю-юсь!..

Человеческий голос пролетел над тяжелой ладожской водой, добрался до храмовой колокольни и сдвинул язык главного колокола. Колокол пропел низко и печально.

Ветер, подумали в монастыре...

Попугай Лаура неожиданно покинула свое место и принялась летать по всей гостинице, роняя на постояльцев голубое перо и фекалии.

Роджер просидел возле Миши почти неделю. Он говорил девушке, что полюбил ее с первого взгляда, что с ним подобного не случалось никогда и вообще он в любовь не верил. А она зажгла все его существо, и боится он сгореть от безответного чувства!

Заполучив Мишу и объясняясь ей в любви, он забывал кормить девушку. Ее тело все более истончалось, а глаза становились блескучей, словно вся жизнь из тела перелилась в зрачки.

— Я вас люблю! — неустанно повторял Костаки. — Я богат и талантлив!

А она отвечала, что не предназначена для любви, что Бог отобрал у нее такую возможность.

— Мне нельзя заниматься любовью! — слабым голосом сообщила она. — Никогда...

А Роджер обрадовался ее словам и принялся объяснять ей свою теорию, что он принадлежит к будущему цивилизации, в которой одни будут размножаться, а другие заниматься творчеством и наукой.

— Мне не нужен секс! — восторженно заявил Роджер. — Я не нуждаюсь в нем! Попросту я не хочу!

— А мне нужен секс, — прошептала Миша. — И я нуждаюсь в нем и очень хочу, но не могу!

— Все равно мы с вами пара! — не терял надежды Роджер.

— Я вас не люблю, — произнесла она совсем утомленно.

— Это не страшно!

— Я люблю его...

— Кого?

Она промолчала.

— Русского?

Миша моргнула, так как сил отвечать не было.

Роджер истерично рассмеялся.

— Он же монах! Ему нельзя никого любить, кроме Господа! И вообще, как можно любить бесполое существо?

— Люблю...

Роджер познал, что такое ревность. Это такое чувство, будто бы в твоем желудке море адреналина и очень себя жалко. Костаки не привык себя жалеть, а потому два последующих дня просто просидел в комнате Миши, стараясь не смотреть на нее. Когда же случайно взгляд его все же падал на лицо девушки с закрытыми глазами, сердце Роджера вздрагивало.

Ночью он проснулся в кресле от того, что ему показалось, будто Миша вновь произнесла:

— Я вас не люблю!

Кровь прилила к лицу музыканта, он поднялся с кресла, откинул полу пиджака и ловким движением вытащил из чехла палочку по имени Фаллос. Подошел к Мише, вдохнул всей грудью и опустил палочку на ее плечо. Комнату наполнил звук хрусталя, вслед за этим Костаки еще раз ударил по несбывшейся своей любви, потом еще и еще бил, пока комнату не наполнил звон разбивающегося стекла...

«Как бы не поранить ноги», — подумал Роджер, запихивая ботинком под кушетку сияющие осколки.

Уходя из комнаты, он не заметил, как в нее влетела попугай Лаура, которая по глупости поклевала мелкое стекло и с криком «Хайль Гитлер» издохла.

А потом все вернулось на круги своя. Роджер продолжал играть на треугольнике в музее, а вечерами ужинал у герра Риделя, не забывая при этом каждый раз вспоминать немецко-австрийскую шутку: «Кирха, кюхен, киндер». Фрау Ридель всегда при этом плакала, а Роджер получал крохотное удовольствие.

Через полтора месяца мистеру Костаки позвонил семейный нотариус и сообщил, что его мать скончалась третьего дня в одиннадцатом часу утра...

— Вероятно, на похороны...

— Ее уже похоронили.

— Почему мне не сообщили раньше?

— Вас нелегко было отыскать.

— Я вам соболезную...

— Это я вам соболезную, — сухо сказал нотариус.

Роджер хотел было повесить трубку, но душеприказчик матери попросил не торопиться.

— Незадолго до смерти ваша мать приобрела на аукционе нотную рукопись композитора... Сошта... Кошта...

— Шостаковича? — вскричал Костаки.

— Именно, — подтвердил нотариус.

— Сегодня к вечеру я буду в Лондоне...

Лизбет умирала три дня. Почти все это время она была без сознания, а когда приходила в себя, то непременно встречала печальный взгляд доктора Вейнера.

За несколько секунд до смерти ей пригрезились двое мужчин: грек Костаки и ее сын Роджер. Далее сердце остановилось, и душа Лизбет, выскользнув через нос, унеслась в Вечность...

Роджер Костаки сидел в своем доме и плакал. Плакал от счастья, так как перед ним лежала подлинная нотная рукопись Шостаковича.

Он осторожно открыл ее, достал из чехла Жирнушку и начал играть. Так упоительно он никогда не играл. Все его сознание перебралось в нотную тетрадь, Костаки стал частью этих нот и бил Жирнушкой по треугольнику. Потом он вскинул указательный палец ко рту, дабы послюнявить и перевернуть страницу к тридцать девятой цифре, а когда истертая бумага легла направо, губы Роджера привычно прошептали: «Стаккато...» Он чуть было не умер, когда увидел значок «легато»!.. Жирнушка выскочила из пальцев, упала с дребезгом на пол, а сам Костаки вдруг вскочил со стула, бросился к окну, растворил его в зиму и закричал в небо:

— Шостакович!.. Шостакович!..

Он орал на весь Лондон.

— Шостако-о-о-вич!

Орал, пока глотка не села. Затем вернулся к пюпитру и плюхнулся на стул.

— Мама... — просипел он.

Атмосфера в комнате задрожала, перекорежилась, запахло чем-то гадким, Роджер вскрикнул и превратился в значок «стаккато»...

Миша вернулся с репетиции домой и рассказал Варваре новость:

— Представляешь, Вавочка! Оказывается, этот Костаки был прав. Кто-то неправильно переписал ноты Шостаковича. А потом их растиражировали! На самом деле там стаккато.

— Да что ты! — отозвалась Вавочка без особого интереса, вдевая в уши бриллиантовые серьги. Она не знала, кто такой Костаки и где должно было находиться это стаккато.

— У него в доме рукопись нашли. Не понимаю, почему он раньше мне ее не показал. Гордец, наверное!..

Митрополит Ладожский и Санкт-Петербургский обнялся с отцом Василием, расцеловался со своим протеже троекратно и вышел из храма Гроба Господня.

Старик с властным лицом сел в представительский автомобиль, который неспешно покатил по Иерусалиму. Его Высокопреосвященство хотел было подремать до аэропорта, но его взгляд остановился на человеке с лицом дауна, который держал за руль велосипед. Автомобиль притормозил.

Митрополит открыл окно и спросил:

— Ты кто?

— В Выборг поеду! — ответил Вадик. — За красной водой!..

Владыка вытащил из платья телефон и набрал номер.

— Слушай, отец Михаил, — начал Его Высокопреосвященство, — помнится, еще при Иеремии был у вас в монастыре блаженный...

— Исчез позапрошлой зимой, — ответил настоятель. — Наверное, в полынью провалился...

— Что это за вода такая, красная?

— Да газировка обычная. А что?

— Да ничего... — ответил митрополит и нажал на трубке отбой. Затем он сунул под язык таблетку валидола, чтобы успокоить сердце, открыл дверь и вышел на жаркий асфальт. — Ну что, сынок, поедем?

— В Выборг!

— В Выборг, — согласился Его Высокопреосвященство, усаживая блаженного рядом с собою. — Домой едем, сынок! На Родину!..

_____

Литературно-художественное издание

Липскеров Дмитрий

РУССКОЕ СТАККАТО — БРИТАНСКОЙ МАТЕРИ

Роман

Ответственный за выпуск *Л. Захарова*
Технический редактор *Т. Тимошина*
Корректор *И. Мокина*
Компьютерная верстка *К. Парсаданяна*

ООО «Издательство Астрель»
129085, г. Москва, пр-д Ольминского, д. За

ООО «Издательство АСТ»
141100, РФ, Московская обл., г. Щёлково, ул. Заречная, д. 96

Издано при участии ООО «Харвест».
ЛИ № 02330/0494377 от 16.03.2009.
Республика Беларусь, 220013, Минск, ул. Кульман,
д. 1, корп. 3, эт. 4, к. 42.
E-mail редакции: harvest@anitex.by

ОАО «Полиграфкомбинат им. Я. Коласа».
ЛП № 02330/0150496 от 11.03.2009.
Республика Беларусь, 220600, Минск, ул. Красная, 23.

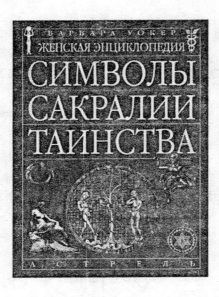